D1259578

LES 200 MEILLEURES RECETTES DE LA

CUISINE ASIATIQUE

LES 200 MEILLEURES RECETTES DE LA

CUISINE ASIATIQUE

CONSEILLÈRE ÉDITORIALE : LINDA DOESER

TRADUCTRICE : CHRISTINE CHAREYRE

MANISE

Édition originale 1997 au Royaume-Uni par Hermes House
sous le titre *Best-Ever Chinese & Asian*

Éditrice : Joanna Lorenz
Responsable du projet : Linda Doeser
Rédactrice : Harriette Lanzer
Styliste : Ian Sandom

Photographies : Karl Adamson, Edward Allwright, David Armstrong,
Steve Baxter, James Duncan, Michelle Garrett, Amanda Heywood,
Patrick McLeavey, Michael Michaels and Thomas Odulate

Mise en pages : Madeleine Brehaut, Michelle Garrett,
Maria Kelly, Blake Minton and Kirsty Rawlings

Préparation des plats : Carla Capalbo, Kit Chan, Elizabeth Wolf-Cohen,
Joanne Craig, Nicola Fowler, Carole Handslip, Jane Hartshorn, Shehzad Husain,
Wendy Lee, Lucy McKelvie, Annie Nichols, Jane Stevenson and Steven Wheeler

Illustrations : Madeleine David

Traduction : Christine Chareyre
Adaptation française : Julie Houis

ISBN 2-84198-097-9
Dépôt légal : septembre 1998

Imprimé à Hong Kong

Sommaire

Introduction *6*

Les soupes et les entrées *15*

Les poissons et les fruits de mer *55*

Les viandes *91*

Les volailles *123*

Les légumes *147*

Les salades *163*

Les nouilles *187*

Les plats de riz *211*

Les desserts *227*

Les sauces et les sambals *247*

Index *254*

Introduction

La cuisine asiatique gagne chaque jour la faveur des Occidentaux en quête d'expériences gastronomiques nouvelles. Cet ouvrage offrant un large éventail de spécialités représentatives de toutes les régions d'Asie satisfera les palais les plus gourmands et les plus curieux.

Les recettes s'adressent à tous les niveaux de compétences – des plus simples et familières comme les *Pâtés impériaux à la sauce pimentée* aux plus insolites et élaborées, telles les *Boulettes de viande « Têtes de Lions »*. Vous n'aurez que l'embarras du choix entre les étonnantes soupes et entrées, dont le *Potage factice aux ailerons de requin* et les *Nids de canard aux œufs*, les irrésistibles poissons et fruits de mer, les appétissants plats de viande ou de volaille – essayez l'*Émincé d'agneau aux ciboules* ou le *Poulet teriyaki*. De flamboyantes préparations de légumes – *Pommes de terre chinoises aux haricots et au piment, Tofu aux épices* – côtoient de savoureuses salades. Nouilles et riz se déclinent sur un registre varié, tandis que de succulents desserts comme la *Mangue au riz gluant* et la *Crème de coco thaïlandaise* clôturent l'ouvrage avec brio.

Chaque recette est illustrée d'une photographie en couleurs représentant la préparation finale, et des explications détaillées, accompagnées de photos, indiquent avec clarté comment y parvenir. Des informations complémentaires sur les ingrédients, les techniques et l'équipement sont fournies en début d'ouvrage.

Reposant sur deux principes essentiels – la cuisson au wok et la fraîcheur des ingrédients –, la cuisine asiatique allie la rapidité des préparations et la richesse nutritionnelle au plaisir gastronomique et visuel. Un festival de saveurs exotiques vous attend au fil des pages qui suivent.

Les Ingrédients

Ail Comme le gingembre, l'ail est un ingrédient de base de la cuisine asiatique.

Basilic Plusieurs variétés de basilic sont utilisées dans la cuisine asiatique.

Cacahuètes Elles enrichissent les préparations au wok de leur saveur et de leur texture croquante. La fine peau rouge doit être éliminée avant la cuisson ; pour cela, ébouillantez les cacahuètes pendant quelques secondes, puis frottez la peau avec les doigts.

Cardamome Cette épice se présente sous la forme de petites capsules vertes ou de grandes capsules noires, très parfumées, renfermant des graines.

Champignons Frais ou séchés, les champignons chinois shiitake rehaussent les plats de leur texture et de leur saveur insolites. Les champignons séchés doivent tremper 20 à 30 minutes dans l'eau chaude avant emploi. Ils sont onéreux, mais une petite quantité suffit généralement.

Châtaignes d'eau Bulbes de la taille de noix, provenant d'une plante aquatique d'Asie, qui ressemblent à des châtaignes. Elles se vendent fraîches dans certaines épiceries asiatiques, mais le plus souvent en conserve.

Chou chinois Il est commercialisé sous deux variétés principales. La plus courante, de couleur vert clair, a des feuilles très serrées, allongées, et de longues côtes à texture croquante. L'autre variété présente une tête plus compacte, formée de feuilles vertes ou jaune clair, et des côtes blanches.

Ciboule Cette variété d'oignon présente un bulbe allongé et des feuilles creuses que l'on utilise comme condiment.

Cinq-épices (poudre) Condiment réunissant de l'anis étoilé, du poivre, du fenouil, des clous de girofle et de la cannelle.

Citronnelle Cette plante présente une longue tige vert pâle et une extrémité bulbeuse semblable à celle de la ciboule. On n'en utilise que la partie inférieure, sur environ 13 cm. Elle offre une texture ligneuse et un arôme prononcé de citron. On la retire généralement de la préparation avant de servir, en raison de sa consistance fibreuse, à moins de la hacher très finement.

Coriandre La coriandre fraîche se distingue par son odeur prononcée qui se marie bien avec d'autres parfums soutenus. La racine blanche peut s'utiliser seule, lorsque le vert des feuilles n'est pas indispensable. Les graines s'emploient également, entières et broyées.

Crêpes chinoises Crêpes fines, à base de farine et d'eau, sans condiments ni épices. Elles se vendent fraîches ou surgelées.

Crevettes séchées Les crevettes séchées, minuscules et salées, s'utilisent comme condiment dans les préparations au wok. Il faut les faire tremper dans de l'eau chaude pour les ramollir avant de les mixer ou de les écraser dans un mortier avec un pilon.

Cumin Vendu sous forme de graines et de poudre, le cumin offre une saveur forte, légèrement amère, et s'utilise beaucoup dans la cuisine indienne, mais également dans les préparations asiatiques.

Curcuma Ce membre de la famille du gingembre est un rhizome de couleur dorée. Pour éplucher la racine fraîche, mettez des gants de caoutchouc afin d'éviter de tacher votre peau. Le curcuma existe aussi sous forme de poudre.

Dashi Bouillon japonais léger, commercialisé sous forme de poudre qui doit sa saveur à la présence des algues. On peut le remplacer par du bouillon de légumes en cube.

Écorce de cassia Variété de cannelle, à l'arôme plus prononcé.

Farine de pois chiches À base de pois chiches écrasés, cette farine à la saveur unique se vend dans les épiceries indiennes.

Feuilles de lime Elles relèvent les mets de leur parfum citronné. Les feuilles fraîches, vendues dans les commerces asiatiques, peuvent être congelées.

Galanga Le *galanga* frais ou *lengkwas* ressemble au gingembre par son goût et son aspect, mis à part la teinte rosée de sa peau. Il s'utilise de la même manière. Il est également vendu séché et en poudre.

Germes de soja Pousses du haricot mungo, en vente chez les primeurs et dans les supermarchés. Ils relèvent les préparations au wok de leur texture croustillante.

Gingembre La racine de gingembre frais se distingue par sa saveur prononcée. Choisissez des morceaux fermes et charnus, à peau brillante, non ridée.

Grains de poivre du Sichuan Également dénommés *farchiew,* ces grains de poivre brun-rouge, parfumés, s'utilisent grillés et moulus. Ils sont moins forts que les grains de poivre blanc ou noir.

Haricots chinois Ressemblant aux haricots verts, ils sont trois ou quatre fois plus longs. On les coupe en petits morceaux avant de les cuisiner.

Huile au piment Huile végétale rehaussée de piments rouges séchés, d'ail, d'oignons et de sel. Elle s'utilise davantage en sauce d'accompagnement que comme ingrédient.

Huile d'arachide Cette huile, qui peut être chauffée à température élevée, est tout indiquée pour les préparations au wok ou les fritures.

Huile de sésame Elle sert plutôt à rehausser les plats qu'à les cuisiner. Très aromatique, elle doit être employée avec modération.

Lait et crème de coco Le lait de coco est différent du jus contenu dans la noix

Étagère du haut, de gauche à droite : *ail, gingembre, citronnelle, crevettes séchées, sauce de poisson thaïe, grains de poivre du Sichuan, sauce au piment, coriandre en poudre, galanga, poudre cinq-épices, piments verts frais.*
Étagère du milieu : *piments rouges séchés, cacahuètes (avec la peau), gousses de cardamome, noix de cajou (dans le bocal), cacahuètes (sans la peau), feuilles de lime, tamarin, sauce hoi-sin, haricots noirs salés, huile au piment.*
En bas, à l'arrière-plan : *saké, vinaigre de riz, vin de riz chinois.*
En bas, au milieu : *huile de sésame, mirin, huile d'arachide, coriandre fraîche, graines de cumin.*
En bas, au premier plan : *basilic, pâte de crevettes séchées, piments rouges et verts, noix de coco râpée et crème de coco, sauce de soja claire, sauce d'huître, morceaux de noix de coco, noix de coco entière.*

de coco fraîche et qui se consomme comme boisson. Le lait de coco utilisé en cuisine provient de la chair blanche de la noix. Lorsqu'on le laisse reposer, les particules solides montent à la surface, formant une sorte de crème.

Pour fabriquer vous-même le lait de coco, ouvrez une noix fraîche et ôtez la peau marron de la chair. Râpez la chair jusqu'à obtention de 40 cl. Mixez pendant 1 minute avec 30 cl d'eau. Filtrez le mélange à travers un tamis doublé d'une mousseline. Réunissez les coins de la mousseline et serrez pour en extraire le liquide. Le lait de coco est prêt à l'emploi, en prenant soin de le remuer au préalable.

Le lait de coco est commercialisé en boîte, en poudre soluble et en crème présentée sous forme de bloc compact. La poudre et la crème donnent un lait de qualité médiocre, mais elles sont tout indiquées pour la confection des sauces et des assaisonnements.

Lengkwas Voir *Galanga.*

Mirin Vin de riz japonais, doux, qui s'utilise en cuisine.

Miso Pâte de haricots fermentés qui rehausse les soupes japonaises.

Mooli Ce membre de la famille du radis se distingue par son léger goût de poivre, sa peau et sa chair blanches. Contrairement aux autres radis, il peut se consommer cuit, salé et égoutté. Il se prête à de délicates décorations et s'utilise largement dans la cuisine chinoise.

Noix de cajou Ces noix entières entrent souvent dans la composition des préparations chinoises au wok, notamment celles à base de poulet.

Nori Feuilles d'algues japonaises, très fines.

Nouilles Les nouilles cellophane sont à base de haricots mungo broyés.

Les nouilles sèches doivent tremper dans de l'eau chaude avant emploi.

Les nouilles aux œufs sont fabriquées avec de la farine de blé, des œufs et de l'eau. La pâte est aplatie avant d'être introduite dans un appareil réglé à la forme et à l'épaisseur désirées.

Les nouilles de riz sont à base de riz broyé et d'eau. Elles se présentent sous diverses formes – baguettes fines, larges rubans et feuilles. Les nouilles sèches en ruban sont généralement vendues en paquets compacts. On trouve également des nouilles de riz fraîches. Les nouilles de riz doivent être rincées sous l'eau chaude et égouttées avant emploi.

Très fins, les vermicelles de riz ressemblent à des cheveux blancs et se vendent en gros paquets compacts. Ils cuisent presque instantanément dans un liquide chaud, à condition d'avoir trempé au préalable dans l'eau chaude. Ils peuvent également être frits.

Les nouilles somen sont des nouilles japonaises séchées, blanches et délicates, à base de farine de blé. Elles sont généralement présentées maintenues par une bande de papier.

Également japonaises, les nouilles udon sont fabriquées avec de la farine de blé et de l'eau. Souvent rondes, elles peuvent aussi être plates et se vendent fraîches, précuites, ou séchées.

Pak choi Également dénommé *bok choi,* ce légume à grandes feuilles présente de longues côtes blanches, lisses, et un feuillage vert foncé.

Patate douce La saveur douce de ce tubercule rouge se marie bien avec celles, aigres-douces, de l'Asie du Sud-Est. Au Japon, la patate douce entre dans la fabrication de bonbons et autres friandises.

Pâte à pâtés impériaux Carrés de pâte très fine à base de farine de blé ou de riz et d'eau. Généralement vendus congelés, les premiers doivent être décongelés et séparés avant emploi. Ceux à base de farine de riz sont secs et doivent tremper au préalable.

Pâte à raviolis Petits carrés très minces à base de farine de blé et de pâte aux œufs.

Pâte de crevettes À base de crevettes fermentées, la pâte de crevettes ou *terasi* présente une couleur foncée et une odeur prononcée. Elle doit être consommée avec modération.

Pâte de curry La pâte de curry s'obtient traditionnellement en écrasant des herbes fraîches et des épices dans un mortier avec un pilon. Les deux variétés thaïlandaises, rouge et verte, sont confectionnées avec des piments rouges et verts. Les autres ingrédients varient en fonction des goûts de chacun.

La rouge comprend généralement du gingembre, des échalotes, de l'ail, des graines de coriandre et de cumin, du jus de citron. La verte réunit le plus souvent petits oignons, coriandre fraîche, feuilles de lime, gingembre, ail et citronnelle.

Si la fabrication de la pâte de curry est longue, le résultat en est très gratifiant et cette préparation se conserve bien.

On peut également utiliser de la pâte vendue dans le commerce, en paquet ou en tube.

Pâte de haricots rouges Pâte rouge foncé à base de purée de haricots rouges et de sucre cristallisé. Elle est vendue en boîte.

Pâte de Maïzena On l'obtient en mélangeant 4 mesures de Maïzena avec 5 mesures d'eau froide.

Pâte de soja jaune Pâte épaisse à base de germes de soja fermentés, écrasés avec de la farine et du sucre.

Piments Il existe un grand choix de piments, frais et séchés. Plus le piment est gros, moins il est fort, à quelques exceptions près toutefois. Retirez les graines pour adoucir la saveur. Prenez soin de vous laver les mains aussitôt après avoir manipulé les piments, frais ou séchés ou, mieux, portez des gants de caoutchouc, et ne vous frottez pas les yeux.

Pousses de bambou Pousses tendres, à saveur douce, des jeunes bambous, commercialisées fraîches ou en boîte – coupées en deux ou en rondelles.

Riz Il en existe différentes variétés, de diverses origines. Le riz *basmati,* qui signifie « parfumé » en hindi, est le plus prisé. Le riz thaïlandais est également parfumé et légèrement collant.

Nouilles sèches
1 nouilles plates – 2 nouilles somen
3 nouilles udon – 4 nouilles soba
5 nouilles plates aux œufs – 6 nouilles aux œufs moyennes – 7 nouilles cellophane
8 galettes de riz – 9 vermicelles de riz
10 nouilles aux œufs – 11 nouilles de riz plates

Saké Vin de riz japonais, très fort.

Sauce au piment Sauce très relevée, à base de piments, de vinaigre, de sucre et de sel. Commercialisée en bocaux, elle s'utilise avec modération pour cuisiner ou comme sauce d'accompagnement. On peut la remplacer par le Tabasco.

Sauce de haricots noirs Pâte épaisse à base de haricots noirs écrasés et mélangés avec de la farine et des épices (gingembre, ail ou piment). On la trouve en bocaux ou en boîtes qui, une fois ouverts, doivent être conservés au réfrigérateur.

Sauce de haricots pimentée Pâte de haricots fermentés, relevée de piment et autres condiments. Elle se vend en bocaux, plus ou moins forte selon les marques.

Sauce de poisson Le condiment le plus répandu dans la cuisine thaïe. Dénommée *nam pla,* elle s'emploie comme la sauce de soja dans les préparations chinoises. À base d'anchois fermentés, elle offre une forte saveur salée.

Sauce de soja L'un des principaux condiments de la cuisine asiatique est fabriqué avec des germes de soja fermentés, de la levure, du sel et du sucre. La sauce chinoise existe sous deux formes : claire et foncée. La sauce claire est plus parfumée ; la foncée, plus sucrée, colore les aliments de sa teinte rougeâtre.

Sauce d'huître À base d'extrait d'huître, cette sauce relève de nombreux plats de poisson, de soupes et de sauces.

Sauce hoi-sin Sauce épaisse, foncée, légèrement piquante.

Sucre de palme Sucre très parfumé, de couleur marron, obtenu à partir de la sève du palmier. Commercialisé dans les épiceries asiatiques, il peut être remplacé par du sucre roux.

Tamarin Pulpe marron et collante de la gousse du tamarinier, en forme de haricot. Équivalent du vinaigre ou du jus de citron en Occident, il relève les mets thaïs et indonésiens de sa saveur aigre. Il se vend séché ou sous forme de pulpe.

Avant d'utiliser la pulpe pour en extraire le jus, faites-en tremper 25 g dans 15 cl d'eau chaude pendant 10 minutes. Filtrez ensuite à travers un tamis pour recueillir le maximum de jus.

Terasi Voir *Pâte de crevettes.*

Tofu Cette pâte à base de farine de soja est riche en protéines. De saveur fade, le tofu nature s'imprègne du parfum des aliments avec lesquels il cuit. Le tofu se vend aussi fumé et mariné. Les blocs durs se prêtent mieux aux préparations au wok.

Vin de riz chinois À base de riz gluant, il est également connu sous l'appellation « vin jaune » – *huang jin* ou *chiew* – en raison de sa couleur ambrée. La meilleure variété, dénommée Shao Hsing ou Shaoxing, est originaire du sud-est de la Chine. Il peut être remplacé par du Xérès sec.

Étagère du haut, de gauche à droite : *nouilles aux œufs fraîches, pâte à raviolis, châtaignes d'eau, nouilles cellophane, farine de pois chiches, pâte à pâtés impériaux.*
Étagère du milieu : *champignons chinois séchés, pak choi, tofu, nouilles aux œufs sèches, crêpes chinoises.*
En bas, à l'arrière-plan : *riz ; (dans le panier) pois mange-tout, épis de maïs, champignons shiitake, échalotes ; chou chinois, vermicelles de riz.*
En bas, au premier plan : *pousses de bambou, germes de soja, champignons, ciboules, haricots chinois.*

Vinaigre de riz Il existe sous deux formes principales : le vinaigre rouge, à base de riz fermenté, de couleur foncée et à la saveur prononcée ; le vinaigre blanc est plus fort car distillé à partir du riz. Le vinaigre de cidre peut les remplacer.

Wasabi Cette racine comestible, à l'arôme soutenu est un condiment de la cuisine japonaise. Voisin du raifort, il se vend frais, sous forme de poudre et de pâte.

L'Équipement

Aucun équipement spécial n'est indispensable pour préparer un repas asiatique ; une simple poêle à fond épais peut le plus souvent remplacer le wok. Toutefois, les ustensiles présentés ci-dessous vous faciliteront la tâche.

Wok Il en existe de nombreux modèles. Tous ont des parois arrondies qui assurent une bonne diffusion de la chaleur. Un modèle de 35 cm de diamètre convient parfaitement aux familles moyennes, pour les différentes cuissons – friture, vapeur, braisage.

Traditionnellement fabriqués en fonte, les woks existent désormais en différents métaux. La fonte reste très prisée car c'est un excellent conducteur de chaleur ; en outre, elle se recouvre avec le temps d'une patine qui la rend antiadhésive. L'acier inoxydable a tendance à rayer. On trouve des modèles antiadhésifs, mais ils sont à déconseiller car ils ne résistent pas aux températures élevées nécessaires pour la cuisson au wok. Ils sont en outre très onéreux.

Les woks peuvent être munis d'une ou de deux courtes poignées en métal ou en bois, d'une seule longue queue, ou des deux. Les poignées en bois sont plus sûres.

Préparation du wok En dehors de ceux traités avec une matière antiadhésive, les woks neufs sont à préparer avant usage. La plupart doivent être débarrassés de leur couche d'huile protectrice avec un détergent. Posez ensuite le wok sur feu doux et versez environ 2 cuillerées à soupe d'huile végétale. Badigeonnez soigneusement l'intérieur du wok avec du papier absorbant. Faites chauffer doucement le wok pendant 10 à 15 minutes, puis retirez l'huile avec du papier absorbant. Celui-ci noircit. Continuez à huiler, chauffer et essuyer le wok jusqu'à ce que le papier reste propre. Lorsque le wok a été préparé ainsi, il n'a plus besoin d'être frotté. Après emploi, il suffit de le laver à l'eau chaude sans détergent, puis de l'essuyer soigneusement avant de le ranger.

Accessoires du wok Différents accessoires peuvent accompagner le wok, mais ils ne sont en aucun cas indispensables.

Couvercle Il est utile, notamment pour braiser et cuire les aliments à la vapeur. Généralement en aluminium, il est arrondi et assure une fermeture hermétique. Certains woks sont vendus avec un couvercle, mais n'importe quel couvercle de forme arrondie peut convenir.

Support Cet accessoire très utile assure une plus grande stabilité au wok pour la cuisson à la vapeur, la friture ou le braisage.

Trépied Indispensable dans les cuissons à la vapeur, pour surélever le plat ou le panier au-dessus du niveau d'eau, il est en bois ou en métal.

Grande cuillère Longue, métallique et munie d'un manche en bois, elle sert à remuer les ingrédients pendant la cuisson. Elle peut être remplacée par n'importe quelle cuillère à manche long.

Cuiseur à vapeur en bambou Il se pose sur les parois arrondies du wok et est de taille variée – des petits pour les beignets et les *dim sum* aux plus grands pouvant contenir un poisson entier.

Écumoire en bambou Cet ustensile large, plat, métallique, muni d'un long manche en bambou, permet de retirer facilement les aliments de la friture ou du panier à vapeur. Elle peut être remplacée par une écumoire en métal.

Autres ustensiles Toute cuisine est équipée des instruments nécessaires à la préparation des recettes de cet ouvrage. Toutefois, vous pourrez vous procurer quelques ustensiles simples et peu onéreux dans les supermarchés asiatiques.

Hachoir Les Chinois ne peuvent pas s'en passer pour cuisiner. Disponible en différents poids et tailles, il sert à couper les ingrédients, à retirer les veines des crevettes, ou à détailler très finement les légumes. Il doit être affûté régulièrement.

Ustensiles de cuisine, dans le sens des aiguilles d'une montre, à partir du haut : *cuiseur à vapeur en bambou, mortier et pilon, planche à découper avec hachoir, couteau à découper et couteau éplucheur, wok avec couvercle et grille, écumoire.*

Mortier et pilon En terre ou en pierre, ils servent à piler les épices et à écraser les ingrédients pour préparer des pâtes.

Mixer Rapide et facile d'emploi, il remplace le mortier et le pilon pour broyer les épices et préparer les pâtes. Il sert également à hacher les légumes.

LES TECHNIQUES DE CUISSON

FAIRE SAUTER DANS LE WOK

Cette technique de cuisson rapide préserve la fraîcheur, la couleur et la texture des ingrédients. Ils doivent tous être prêts et à portée de main avant de commencer la cuisson.

1 Chauffez un wok vide à feu vif pour que les aliments ne collent pas et assurer une bonne diffusion de la chaleur. Versez l'huile et penchez le wok de manière à ce qu'elle recouvre le fond et les parois à mi-hauteur. L'huile doit être chaude lorsque vous ajoutez les ingrédients, afin qu'ils soient saisis aussitôt.

2 Incorporez les ingrédients selon l'ordre indiqué dans la recette – les condiments en premier (ail, gingembre, oignons) ; évitez que l'huile commence à fumer, car ils brûleraient et prendraient un goût amer. Remuez pendant quelques secondes avant d'ajouter les ingrédients principaux nécessitant une cuisson plus longue – légumes ou viande. Continuez avec les aliments à cuisson rapide. Remuez du centre vers les parois avec une spatule en bois, en métal, ou une cuillère à manche long.

CUIRE DANS LA FRITURE

Le wok est idéal pour la friture car il utilise beaucoup moins d'huile qu'une friteuse. Vérifiez qu'il est bien stable sur son support avant de verser l'huile et surveillez-le attentivement.

1 Posez le wok sur un support et remplissez-le d'huile à mi-hauteur. Faites chauffer à la température désirée. Vérifiez en jetant un petit morceau de nourriture ; si des bulles se forment à la surface, c'est que l'huile est chaude.

2 Plongez délicatement les ingrédients dans l'huile, avec des pinces ou des baguettes en bois, puis remuez. Retirez du wok avec une écumoire en bambou ou en métal. Posez sur du papier absorbant avant de servir.

CUIRE À LA VAPEUR

Les aliments cuisent dans une douce chaleur humide qui doit circuler librement. La cuisson à la vapeur est très prisée des personnes soucieuses de diététique car elle préserve la saveur des ingrédients et leur valeur nutritionnelle. Elle est parfaite pour les légumes, la viande, la volaille et surtout le poisson. Le cuiseur à vapeur en bambou permet de cuire aisément les aliments de cette façon.

LE CUISEUR À VAPEUR EN BAMBOU

1 Placez le wok sur un support. Versez de l'eau bouillante sur 5 cm de hauteur et laissez frémir. Posez le cuiseur à vapeur sur les parois du wok, sans qu'il touche l'eau.

2 Couvrez le cuiseur de son couvercle et laissez cuire pendant la durée indiquée dans la recette. Vérifiez le niveau d'eau de temps en temps et ajoutez si besoin de l'eau bouillante.

LE WOK COMME CUISEUR À VAPEUR

Mettez un trépied dans le wok, puis placez le wok sur un support. Versez de l'eau bouillante juste en dessous du trépied. Posez le plat contenant les aliments sur le trépied. Couvrez le wok de son couvercle, portez l'eau à ébullition, puis laissez frémir doucement. Faites cuire le temps indiqué dans la recette. Vérifiez le niveau d'eau de temps en temps et ajoutez si besoin de l'eau bouillante.

Les Soupes et les Entrées

Les délicieuses soupes proposées dans ce chapitre peuvent être servies en hors-d'œuvre, figurer parmi un choix de plats principaux, comme en Chine, ou même être consommées au petit déjeuner, dans la tradition japonaise.
La plupart des entrées présentées – pâtés impériaux, raviolis, tempura – sont familières des Occidentaux depuis fort longtemps. D'autres, moins connues, sont tout aussi savoureuses, tels les Nids de canard aux œufs thaïlandais *ou les* Boulettes de viande épicées à la noix de coco, *en provenance d'Indonésie.*

Bouillon clair

Ce bouillon, base de la confection des soupes, peut également remplacer l'eau dans certaines préparations.

INGRÉDIENTS

Pour 2 litres de bouillon

650 g de morceaux de poulet sans la peau
650 g de travers de porc
3 litres d'eau froide
3 à 4 morceaux de gingembre non pelés et écrasés
3 à 4 ciboules enroulées en forme de nœuds
3 à 4 cuil. à soupe de vin de riz chinois ou de Xérès sec

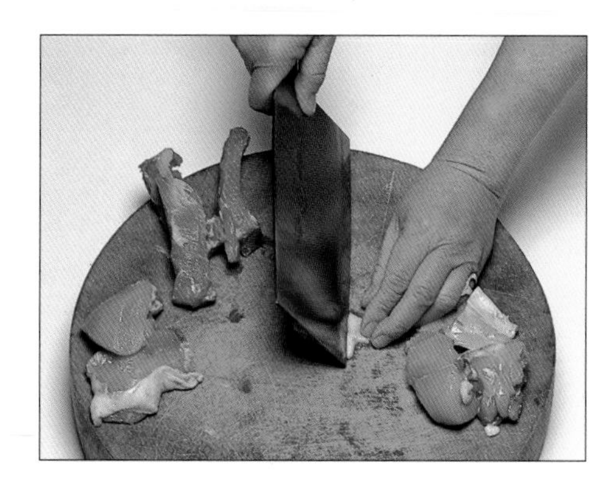

1 Retirez le gras du poulet et du porc avant de les découper en gros morceaux.

2 Réunissez le poulet, le porc et l'eau dans une grande casserole. Ajoutez le gingembre et les ciboules.

3 Portez à ébullition, puis ôtez l'écume. Baissez le feu et laissez frémir 2 à 3 heures à découvert.

4 Filtrez le bouillon en éliminant la viande, le gingembre et les ciboules, puis remettez-le dans la casserole. Ajoutez le vin de riz ou le Xérès et portez à ébullition. Laissez frémir 2 à 3 minutes. Mettez le bouillon refroidi au réfrigérateur, où il se conserve 4 à 5 jours, ou congelez-le dans de petits récipients.

Soupe aux raviolis de poulet et de crevettes

Version raffinée de la simple soupe aux raviolis, ce potage peut constituer un repas complet.

INGRÉDIENTS

Pour 4 personnes

275 g de blancs de poulet sans la peau
200 g de crevettes décortiquées crues ou cuites
1 cuil. à café de gingembre frais finement haché
2 ciboules finement hachées
1 œuf
2 cuil. à café de sauce d'huître (facultatif)
1 paquet de pâte à raviolis
1 cuil. à soupe de pâte de Maïzena
90 cl de bouillon de volaille
1/4 de concombre pelé et coupé en dés
sel et poivre noir moulu
1 ciboule grossièrement émincée, 4 branches de coriandre fraîche et 1 tomate pelée, épépinée et coupée en dés, pour la décoration

1 Mixez le poulet, 150 g de crevettes, le gingembre et les ciboules pendant 2 à 3 minutes dans un mixer. Ajoutez l'œuf, la sauce d'huître et l'assaisonnement, puis mixez de nouveau. Réservez.

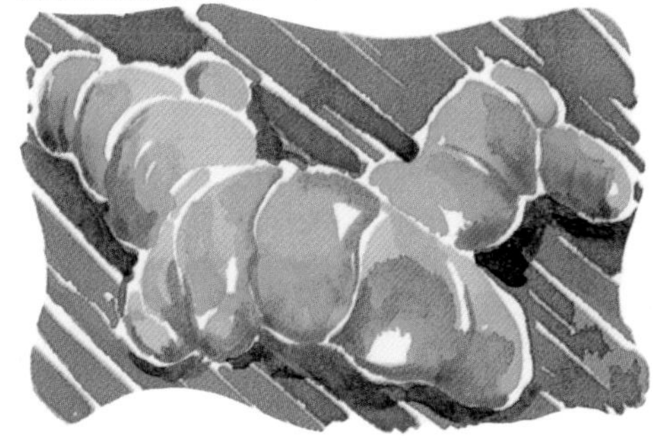

2 Posez 8 carrés de pâte sur un plan de travail, mouillez les bords avec la pâte de Maïzena et déposez au centre 1/2 cuillerée à café de préparation. Pliez en deux et pincez les bords pour les souder. Laissez frémir 4 minutes dans l'eau salée.

3 Portez le bouillon à ébullition, ajoutez le reste de crevettes, le concombre, puis laissez frémir 3 à 4 minutes. Incorporez les raviolis et faites chauffer 3 à 4 minutes. Décorez de ciboule, de coriandre et de tomate, avant de servir chaud.

Soupe de poulet thaïlandaise

Une soupe consistante, dans laquelle herbes, épices et crème de coco s'allient avec subtilité.

INGRÉDIENTS

Pour 4 personnes

1 gousse d'ail finement hachée
1 cuil. à soupe d'huile végétale
340 g de blancs de poulet sans la peau, coupés en morceaux
1/2 cuil. à café de curcuma en poudre
1/4 de cuil. à café de poudre de piment fort
75 g de crème de coco
90 cl de bouillon de volaille chaud
2 cuil. à soupe de jus de citron
2 cuil. à soupe de beurre de cacahuètes
350 g de nouilles fines aux œufs, en petits morceaux
1 cuil. à soupe de ciboule hachée menu
1 cuil. à soupe de coriandre fraîche ciselée
sel et poivre noir du moulin
2 cuil. à soupe de noix de coco râpée et 1/2 piment rouge frais épépiné et finement haché, pour la décoration

1 Dans une sauteuse, faites blondir l'ail pendant 1 minute dans l'huile chaude. Ajoutez le poulet, le curcuma, la poudre de piment, et remuez pendant 3 à 4 minutes.

2 Émiettez la crème de coco dans le bouillon de volaille chaud et mélangez intimement. Versez sur le poulet, puis ajoutez le jus de citron, le beurre de cacahuètes et les nouilles.

3 Laissez frémir 15 minutes à couvert. Incorporez la ciboule, la coriandre, assaisonnez bien, et poursuivez la cuisson pendant 5 minutes.

4 Pendant ce temps, faites revenir la noix de coco râpée et les morceaux de piment pendant 2 à 3 minutes, en remuant, jusqu'à ce que la noix de coco soit légèrement dorée.

5 Servez la soupe dans des bols, saupoudrée de noix de coco et de piment frit.

Soupe chinoise au tofu et à la laitue

Une soupe légère, à base de légumes savoureux et nourrissants.

INGRÉDIENTS

Pour 4 personnes

2 cuil. à soupe d'huile d'arachide ou de tournesol
200 g de tofu fumé ou mariné, en dés
3 petits oignons émincés en diagonale
2 gousses d'ail en petits bâtonnets
1 carotte détaillée en fines rondelles
1 litre de bouillon de légumes
2 cuil. à soupe de sauce de soja
1 cuil. à soupe de Xérès sec ou de vermouth
1 cuil. à café de sucre
115 g de laitue romaine en chiffonnade
sel et poivre noir du moulin

1 Faites chauffer l'huile dans un wok préchauffé, puis laissez dorer le tofu en remuant. Égouttez-le et posez-le sur du papier absorbant.

2 Ajoutez les oignons, l'ail, la carotte, et faites revenir pendant 2 minutes. Incorporez ensuite le bouillon, la sauce de soja, le Xérès ou le vermouth, le sucre et la laitue. Laissez frémir 1 minute, assaisonnez et servez chaud.

Bouillon au crabe et aux nouilles

Ce bouillon nourrissant et succulent est idéal pour improviser un repas rapide.

INGRÉDIENTS

Pour 4 personnes

75 g de nouilles fines aux œufs
1 petite botte de ciboules hachées
1 branche de céleri émincée
1 carotte moyenne coupée en julienne
2 cuil. à soupe de beurre
1,2 litre de bouillon de volaille
4 cuil. à soupe de Xérès sec
115 g de chair de crabe blanche fraîche ou congelée
1 pincée de sel de céleri
1 pincée de poivre de Cayenne
2 cuil. à café de jus de citron
1 petite botte de coriandre ou de persil plat grossièrement hachés, pour la décoration

1 Portez à ébullition une grande casserole d'eau salée et faites cuire les nouilles selon les instructions du fabricant. Rincez-les sous l'eau froide, puis laissez-les tremper jusqu'à emploi.

CONSEIL

La chair de crabe est meilleure fraîche ou congelée qu'en conserve.

2 Faites revenir les ciboules, le céleri et la carotte pendant 3 à 4 minutes à couvert, dans le beurre chaud.

3 Versez le bouillon de volaille et le Xérès, portez à ébullition et laissez frémir 5 minutes.

4 Émiettez le crabe sur une assiette, en éliminant les particules dures.

5 Égouttez les nouilles et mettez-les dans le bouillon avec le crabe. Assaisonnez de sel de céleri et de poivre de Cayenne. Arrosez de jus de citron et laissez frémir.

6 Versez dans des assiettes creuses, décorez de coriandre ou de persil avant de servir.

Potage factice aux ailerons de requin

Dans cette version végétarienne de potage aux ailerons de requin, les nouilles cellophane, détaillées en petits morceaux, imitent les écailles pointues des requins.

INGRÉDIENTS

Pour 4 à 6 personnes

4 champignons shiitake, séchés
1 cuil. et 1/2 à soupe de champignons noirs séchés
115 g de nouilles cellophane
2 cuil. à soupe d'huile végétale
2 carottes coupées en julienne
115 g de pousses de bambou en boîte, rincées, égouttées et coupées en julienne
1 l de bouillon de légumes
1 cuil. à soupe de sauce de soja
1 cuil. à soupe de fécule
2 cuil. à soupe d'eau
1 blanc d'œuf battu (facultatif)
1 cuil. à café d'huile de sésame
sel et poivre noir au moulin
2 ciboules finement hachées, pour la décoration
vinaigre rouge chinois (facultatif)

1 Laissez tremper séparément les champignons shiitake et les champignons noirs 20 secondes dans l'eau chaude. Égouttez-les. Retirez les pieds et détaillez-les en minces lamelles, en jetant les particules dures. Mettez les nouilles à ramollir dans l'eau chaude. Égouttez-les et coupez-les en petits morceaux. Réservez.

2 Faites revenir les champignons shiitake 2 minutes dans l'huile chaude. Mettez les champignons noirs, laissez cuire 2 minutes, avant d'ajouter les carottes, les pousses de bambou et les nouilles.

3 Versez le bouillon, portez à ébullition et laissez frémir 15 à 20 minutes. Assaisonnez de sel, de poivre et de sauce de soja.

4 Délayez la fécule de pommes de terre dans un peu d'eau. Ajoutez-la à la soupe, en remuant sans arrêt pour éviter la formation de grumeaux.

5 Retirez du feu avant d'incorporer le blanc d'œuf, de manière à ce qu'il forme de minces filaments. Versez l'huile de sésame, puis répartissez la soupe dans des bols individuels. Parsemez de ciboule et présentez le vinaigre séparément.

Soupe au miso

Le miso est une pâte de haricots fermentés qui rehausse nombre de soupes japonaises. Celle-ci, qui se consomme au petit déjeuner, permet de démarrer la journée d'un bon pied.

INGRÉDIENTS

Pour 4 personnes

3 champignons shiitake frais ou séchés
1,25 l de bouillon de légumes
4 cuil. à soupe de miso
115 g de tofu coupé en gros dés
les pousses d'une ciboule émincées, pour la décoration

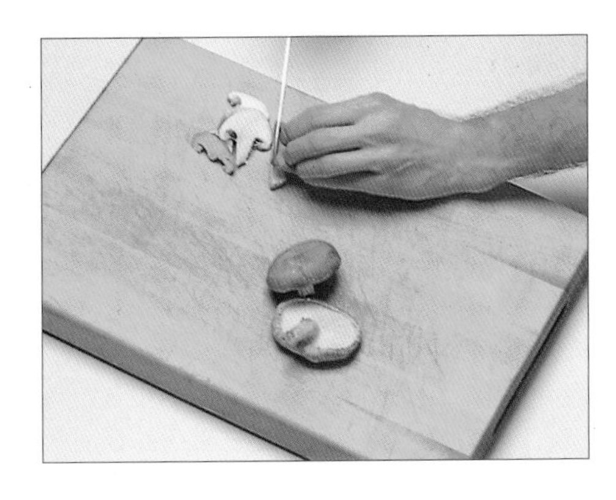

1 Si vous utilisez des champignons séchés, laissez-les tremper 3 à 4 minutes dans l'eau chaude, puis égouttez-les. Détaillez finement les champignons et réservez.

2 Portez le bouillon à ébullition dans une grande casserole. Ajoutez le miso, les champignons, puis laissez frémir 5 minutes.

3 Versez le bouillon dans 4 bols à soupe et répartissez le tofu. Parsemez de pousses de ciboule avant de servir.

Soupe de nouilles au porc et aux pickles

INGRÉDIENTS

Pour 4 personnes

1 l de bouillon de volaille
350 g de nouilles aux œufs
1 cuil. à soupe de crevettes séchées, trempées dans de l'eau
2 cuil. à soupe d'huile végétale
225 g de porc maigre détaillé en lanières
1 cuil. à soupe de pâte de soja jaune
1 cuil. à soupe de sauce de soja
115 g de pickles du Sichuan rincés, égouttés et émincés
1 pincée de sucre
sel et poivre noir du moulin
2 ciboules finement émincées, pour la décoration

1 Faites cuire les nouilles dans de l'eau bouillante jusqu'à ce qu'elles soient presque tendres. Égouttez les crevettes et rincez-les sous l'eau froide. Après les avoir égouttées de nouveau, incorporez-les au bouillon. Laissez frémir encore 2 minutes et gardez au chaud. Dans une poêle ou un wok contenant de l'huile chaude, faites rissoler le porc à feu vif pendant 3 minutes.

2 Ajoutez la pâte de soja, la sauce de soja, et remuez pendant 1 minute. Incorporez les pickles et le sucre, et mélangez pendant encore 1 minute.

3 Répartissez les nouilles et la soupe dans des bols individuels. Ajoutez la préparation au porc, parsemez de ciboule et servez aussitôt.

Soupe de nouilles au rouget et au tamarin

Le tamarin relève cette soupe légère et parfumée de sa saveur acidulée.

INGRÉDIENTS

Pour 4 personnes

2 l d'eau
1 kg de rouget
1 oignon émincé
50 g de gousses de tamarin
1 cuil. à soupe de sauce de poisson
1 cuil. à soupe de sucre
2 gousses d'ail finement hachées
2 bâtons de citronnelle, très finement hachés
2 cuil. à soupe d'huile végétale
4 tomates mûres grossièrement concassées
2 cuil. à soupe de pâte de soja jaune
225 g de vermicelles de riz, ramollis dans de l'eau chaude
115 g de germes de soja
8 à 10 branches de basilic ou de menthe
25 g de cacahuètes grillées et moulues
sel et poivre noir du moulin

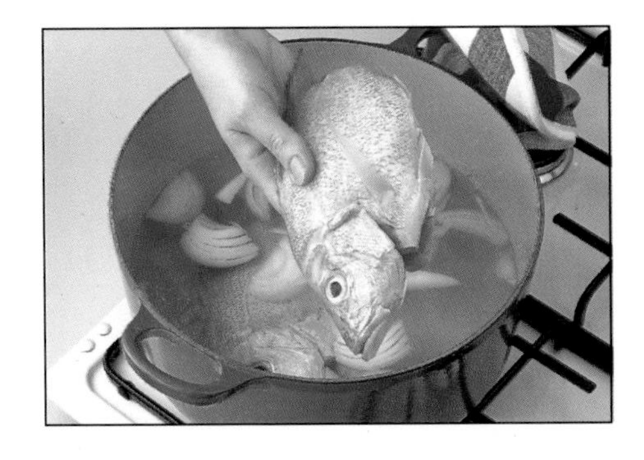

1 Faites bouillir l'eau dans une casserole. Ajoutez le poisson, l'oignon, 1/2 cuillerée à café de sel, et laissez frémir doucement jusqu'à ce que le poisson soit cuit.

2 Retirez le poisson du bouillon et réservez. Incorporez le tamarin, la sauce de poisson et le sucre dans le bouillon. Laissez frémir 5 minutes, puis filtrez dans un grand récipient. Enlevez soigneusement toutes les arêtes du poisson, en le séparant en gros morceaux.

3 Dans une grande poêle, faites revenir l'ail et la citronnelle quelques secondes dans l'huile chaude. Ajoutez les tomates, la pâte de soja, et laissez mijoter 5 à 7 minutes, jusqu'à ce que les tomates soient tendres. Versez le bouillon, laissez frémir et rectifiez l'assaisonnement.

4 Égouttez les vermicelles. Ébouillantez-les quelques minutes, puis égouttez-les de nouveau avant de les répartir dans des bols. Ajoutez les germes de soja, le poisson, le basilic ou la menthe, saupoudrez de cacahuètes. Versez la soupe dans les bols.

Soupe de nouilles au bœuf

Cette soupe aux délicates saveurs orientales sera la bienvenue en hiver.

INGRÉDIENTS

Pour 4 personnes

10 g de champignons porcini séchés
15 cl d'eau bouillante
6 ciboules
1 carotte moyenne
350 g de rumsteck
2 cuil. à soupe d'huile de tournesol
1 gousse d'ail, écrasée
2,5 cm de gingembre frais pelé et finement haché
1,25 l de bouillon de bœuf
3 cuil. à soupe de sauce de soja légère
4 cuil. à soupe de vin de riz chinois ou de Xérès sec
75 g de nouilles aux œufs fines
75 g d'épinards coupés en chiffonnade
sel et poivre noir du moulin

1 Détaillez les champignons en petits morceaux, puis laissez-les tremper 15 minutes dans l'eau bouillante.

2 Coupez les ciboules et la carotte en sections de 5 cm de long. Dégraissez le rumsteck et débitez-le en tranches minces.

3 Dans une sauteuse, faites rissoler le bœuf en plusieurs fois dans l'huile chaude. Retirez-le avec une écumoire et posez-le sur du papier absorbant.

4 Faites revenir l'ail, le gingembre, les ciboules et la carotte pendant 3 minutes dans la sauteuse.

5 Ajoutez le bouillon de bœuf, les champignons avec leur liquide, la sauce de soja, le vin de riz ou le Xérès, et assaisonnez généreusement. Laissez frémir 10 minutes à couvert.

6 Incorporez les nouilles grossièrement coupées, les épinards et le bœuf. Faites chauffer 5 minutes à feu doux, jusqu'à ce que le bœuf soit tendre. Rectifiez l'assaisonnement.

Consommé au porc, aux nouilles et aux crevettes

Rapide et facile, cette préparation d'origine vietnamienne vous surprendra par son raffinement.

INGRÉDIENTS

Pour 4 à 6 personnes

350 g de côtes ou de filet de porc
225 g de crevettes décortiquées, crues ou cuites
150 g de nouilles fines aux œufs
4 échalotes ou 1 oignon moyen émincés
1 cuil. à soupe d'huile végétale
2 cuil. à café d'huile de sésame
1 cuil. à soupe de gingembre frais finement émincé
1 gousse d'ail écrasée
1 cuil. à café de sucre
1,5 l de bouillon de volaille
2 feuilles de lime
3 cuil. à soupe de sauce de poisson
le jus d'1/2 citron vert
4 branches de coriandre fraîche et les pousses de 2 ciboules hachées, pour la décoration

1 Retirez le gras et les os des côtes de porc. Laissez durcir, mais non congeler, la viande pendant 30 minutes au congélateur. Détaillez finement le porc et réservez. Enlevez les veines des crevettes crues.

2 Faites cuire les nouilles dans une grande casserole d'eau bouillante salée, selon les instructions du fabricant. Égouttez-les et refroidissez-les sous l'eau courante, puis réservez.

3 Dans un wok, faites blondir les échalotes ou l'oignon 3 à 4 minutes dans les 2 huiles chaudes. Retirez du feu et réservez.

4 Réunissez dans le wok le gingembre, l'ail, le sucre, le bouillon de volaille, puis portez à ébullition. Ajoutez les feuilles de lime, la sauce de poisson, le jus de citron, puis le porc, et laissez frémir 15 minutes. Incorporez enfin les crevettes, les nouilles, et laissez chauffer 3 à 4 minutes. Servez dans des bols et décorez de coriandre, de pousses de ciboule et d'échalotes ou d'oignon frits.

Soupe au bœuf et aux nouilles d'Hanoi

Des millions de Vietnamiens du Nord dégustent cette soupe parfumée à leur petit déjeuner.

INGRÉDIENTS

Pour 4 à 6 personnes

1 oignon
1,5 kg de jarret de bœuf non désossé
2,5 cm de gingembre frais
1 gousse d'anis étoilé
1 feuille de laurier
2 clous de girofle entiers
1/2 cuil. à café de graines de fenouil
1 morceau de cannelle
3 l d'eau
1 cuil. à soupe de sauce de poisson
le jus d'1 citron vert
150 g de filet de bœuf
450 g de nouilles de riz plates fraîches
sel et poivre noir du moulin

L'accompagnement

1 petit oignon rouge détaillé en anneaux
115 g de germes de soja
2 piments rouges épépinés et émincés
2 ciboules coupées menu
1 poignée de feuilles de coriandre
quelques quartiers de citron vert

1 Coupez l'oignon en deux. Faites-le revenir à feu vif, le côté coupé sur le dessus, jusqu'à ce qu'il soit bien doré. Réservez.

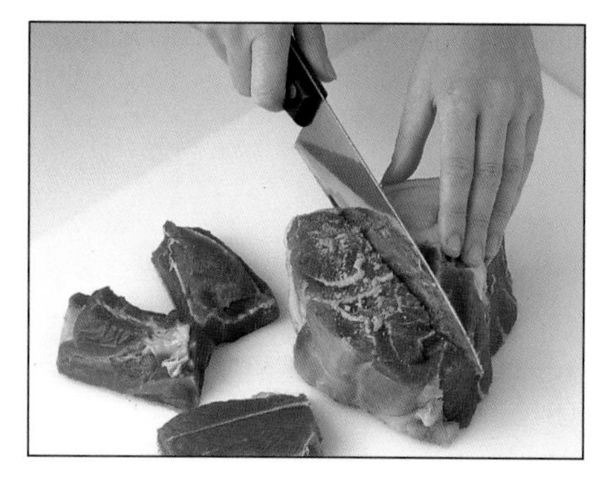

2 Détaillez le jarret en gros morceaux, puis mettez-les avec les os dans une cocotte. Ajoutez l'oignon, le gingembre, l'anis étoilé, le laurier, les clous de girofle, les graines de fenouil et la cannelle.

3 Versez l'eau, portez à ébullition, puis laissez frémir 2 à 3 heures, en enlevant de temps en temps le gras et l'écume.

4 Sortez le jarret de la cocotte avec une écumoire, puis découpez-le en petits morceaux lorsqu'il est refroidi, en éliminant les os. Filtrez le bouillon et remettez-le dans la cocotte avec la viande. Portez à ébullition, ajoutez la sauce de poisson et le jus de citron.

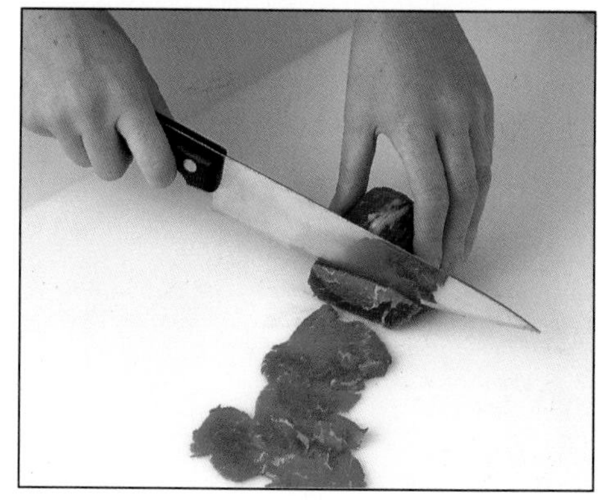

5 Détaillez finement le filet de bœuf, puis laissez-le au frais. Disposez les accompagnements dans des bols séparés.

6 Faites cuire les nouilles dans une grande casserole d'eau bouillante. Égouttez-les et répartissez-les dans des bols de service. Posez dessus les morceaux de filet, versez le bouillon, le jarret et servez avec les accompagnements.

Soupe de légumes au tamarin et aux cacahuètes

Dénommée *sayur asam,* cette soupe colorée et rafraîchissante, originaire de Jakarta, réveillera le palais.

INGRÉDIENTS

Pour 4 personnes

La pâte épicée

5 échalotes ou 1 oignon rouge moyen émincés
3 gousses d'ail, écrasées
2,5 cm de *lengkwas* pelé et émincé
1 piment rouge frais épépiné et émincé
25 g de cacahuètes
1 cube de 1 cm de *terasi* préparé
1,25 l de bouillon parfumé
50 g de cacahuètes salées légèrement écrasées
1 cuil. à soupe de sucre roux
1 cuil. à café de pulpe de tamarin, ayant trempé 15 minutes dans 5 cuil. à soupe d'eau chaude
sel

Les légumes

1 chayote pelée, dénoyautée et coupée en tranches fines
115 g de haricots verts épluchés et coupés en menus morceaux
50 g de grains de maïs (facultatif)
1 poignée de feuilles de salade (cresson, roquette) en chiffonnade
1 piment vert frais émincé, pour la décoration

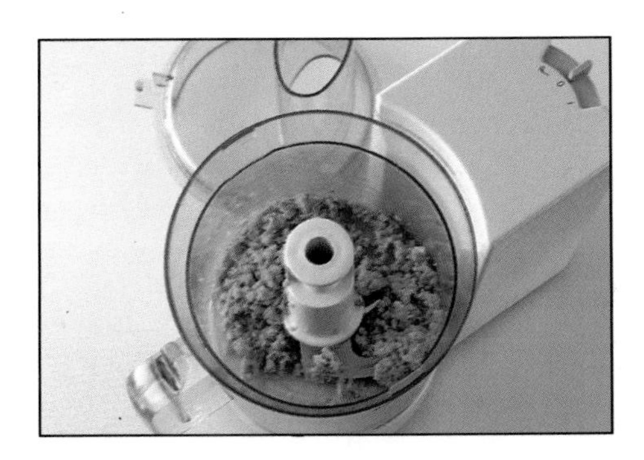

1 Pour préparer la pâte épicée, mixez dans un mixer les échalotes ou l'oignon, l'ail, le *lengkwas,* les piments, les cacahuètes et le *terasi,* ou écrasez-les avec un mortier et un pilon.

2 Mouillez avec un peu de bouillon avant de verser dans une poêle ou un wok, puis ajoutez le reste du bouillon. Laissez frémir 15 minutes avec les cacahuètes et le sucre.

3 Filtrez le tamarin, en jetant les graines, et réservez le jus.

4 Avant de servir, incorporez dans la soupe les morceaux de chayote, les haricots verts, le maïs, et faites cuire à feu vif. Ajoutez les feuilles de salade et salez à la dernière minute.

5 Versez le jus de tamarin et rectifiez l'assaisonnement. Décorez de piment vert avant de servir.

Beignets de crevettes

Ces gourmandises, qui agrémentent nombre de préparations en Chine et en Extrême-Orient, sont également servies aux invités avant de passer à table. Il est préférable de les préparer à la maison plutôt que de les acheter toutes faites.

INGRÉDIENTS

Pour 4 à 6 personnes

30 cl d'huile végétale
50 g de beignets de crevettes prêts à frire
un peu de sel fin

1 Recouvrez une plaque de cuisson de papier absorbant. Faites chauffer l'huile dans un wok jusqu'à ce qu'elle commence à fumer. Baissez le feu, puis jetez 3 ou 4 beignets dans l'huile.

2 Sortez-les de l'huile dès qu'ils gonflent, avant qu'ils ne commencent à dorer. Posez-les sur le papier absorbant. Salez et servez aussitôt.

Crevettes grillées au piment

Ces crevettes, que l'on peut préparer huit heures à l'avance, sont délicieuses cuites sur le barbecue ou sous le gril.

INGRÉDIENTS

Pour 4 à 6 personnes

1 gousse d'ail écrasée
1 cm de gingembre frais finement haché
1 petit piment frais rouge épépiné et haché
2 cuil. à café de sucre
1 cuil. à soupe de sauce de soja
1 cuil. à soupe d'huile végétale
1 cuil. à café d'huile de sésame
le jus d'1 citron vert
700 g de crevettes crues
200 g de tomates cerise
1/2 concombre coupé en morceaux
sel
1 petite botte de coriandre grossièrement ciselée, pour la décoration
quelques feuilles de laitue

1 Écrasez finement l'ail, le gingembre, le piment et le sucre dans un mortier avec un pilon. Ajoutez la sauce de soja, les deux huiles, le jus de citron et le sel. Mettez les crevettes dans un plat, versez dessus la marinade. Laissez mariner 8 heures et faites tremper des brochettes de bambou.

2 Enfilez sur les brochettes les crevettes, les tomates et les morceaux de concombre. Faites cuire 3 à 4 minutes sur le barbecue ou sous le gril préchauffé. Dressez sur des feuilles de laitue et parsemez de coriandre.

Pâtés impériaux à la sauce pimentée

Ces pâtés impériaux peuvent être une délicieuse entrée ou de savoureux en-cas pour un buffet.

INGRÉDIENTS

Pour 20 à 24 pâtés

25 g de vermicelles de riz
1 cuil. à café de gingembre frais, râpé
2 ciboules détaillées en lanières
huile d'arachide, pour la friture
50 g de carotte coupée en julienne
50 g de pois mange-tout coupés en julienne
25 g de feuilles d'épinards
50 g de germes de soja frais
1 cuil. à soupe de menthe fraîche ciselée
1 cuil. à soupe de coriandre fraîche ciselée
2 cuil. à soupe de sauce de poisson
20 à 24 carrés de galette de riz de 13 cm de côté
1 blanc d'œuf légèrement battu

La sauce d'accompagnement

50 g de sucre en poudre
3 cuil. à soupe de vinaigre de riz
2 cuil. à soupe d'eau
2 piments rouges frais épépinés et finement hachés

1 Pour préparer la sauce, faites chauffer doucement le sucre, le vinaigre et l'eau dans une petite casserole, en remuant jusqu'à dissolution du sucre. Faites bouillir ensuite rapidement jusqu'à formation d'un sirop. Ajoutez les piments, puis laissez refroidir.

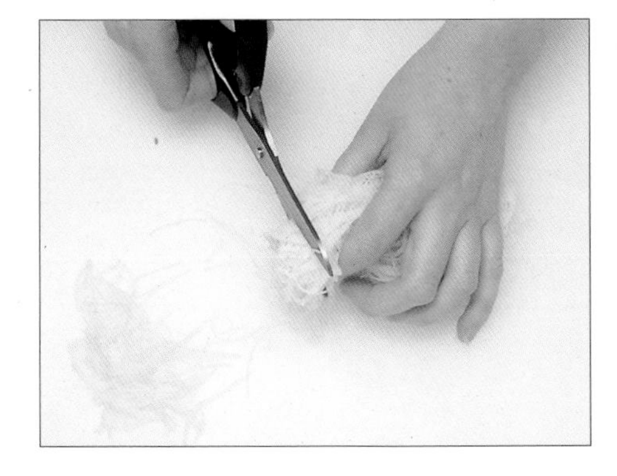

2 Faites tremper les vermicelles selon les instructions du fabricant, rincez-les, puis égouttez-les. Coupez-les en petits morceaux avec des ciseaux.

3 Dans un wok, faites revenir le gingembre et les ciboules pendant 15 secondes dans 1 cuillerée à soupe d'huile chaude. Ajoutez la carotte, les mange-tout, et remuez pendant 2 à 3 minutes. Incorporez les épinards, les germes de soja, la menthe, la coriandre, la sauce de poisson, les vermicelles. Mélangez pendant 1 minute, puis laissez refroidir.

4 Faites ramollir les carrés de galette de riz, en suivant les instructions du fabricant. Disposez un carré devant vous en forme de losange. Déposez une cuillerée de garniture juste en dessous du centre, puis repliez la pointe dessus.

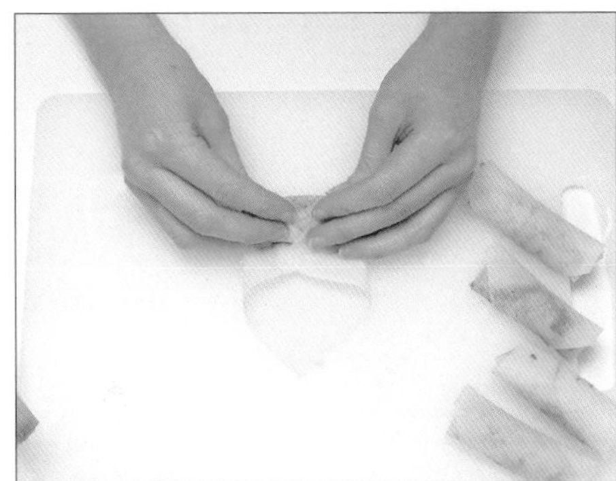

5 Repliez les côtés et enroulez en serrant bien. Soudez l'extrémité à l'aide du blanc d'œuf. Répétez l'opération jusqu'à utilisation de toute la garniture.

6 Remplissez un wok d'huile à mi-hauteur et faites chauffer à 180 °C. Faites frire les pâtés impériaux en plusieurs fois pendant 3 à 4 minutes, jusqu'à ce qu'ils soient dorés et croustillants. Posez-les sur du papier absorbant. Servez chaud avec la sauce au piment.

CONSEIL

Vous pouvez cuire les pâtés impériaux 2 à 3 heures à l'avance, puis les réchauffer 10 minutes à 200 °C/thermostat 6, sur une plaque recouverte de papier d'aluminium.

Pâtés impériaux au crabe

Le piment et le gingembre râpé enrichissent ces pâtés impériaux de leurs saveurs relevées. Vous pouvez les servir comme entrée ou pour composer un plat principal, avec d'autres préparations chinoises.

INGRÉDIENTS

Pour 4 à 6 personnes

1 cuil. à soupe d'huile d'arachide
1 cuil. à café d'huile de sésame
1 gousse d'ail écrasée
1 piment rouge frais épépiné et finement émincé
450 g de légumes frais frits (germes de soja, carottes, poivrons et pois mange-tout, coupés en julienne)
2 cuil. à soupe de coriandre fraîche ciselée
2,5 cm de gingembre frais râpé
1 cuil. à soupe de vin de riz chinois ou de Xérès sec
1 cuil. à soupe de sauce de soja
350 g de chair de crabe fraîche (blanche et marron)
12 carrés de galette de riz
1 petit œuf battu
huile de friture
sel et poivre noir du moulin
quelques quartiers de citron et des feuilles de coriandre fraîche, pour la décoration

La sauce d'accompagnement

1 oignon finement émincé
huile de friture
1 piment rouge frais épépiné et finement haché
2 gousses d'ail écrasées
4 cuil. à soupe de sauce de soja foncée
4 cuil. à café de jus de citron ou 1 cuil. à soupe de jus de tamarin

1 Pour préparer la sauce, étalez l'oignon sur du papier absorbant et laissez-le sécher 30 minutes. Remplissez un wok d'huile à mi-hauteur et faites chauffer à 190 °C. Faites dorer l'oignon en plusieurs fois, en remuant, puis posez-le sur du papier absorbant.

2 Mélangez dans un saladier le piment, l'ail, la sauce de soja, le jus de citron ou de tamarin.

3 Ajoutez l'oignon et laissez macérer 30 minutes.

4 Faites chauffer l'huile d'arachide et l'huile de sésame dans un wok préchauffé. Faites revenir l'ail et le piment pendant 1 minute. Ajoutez les légumes, la coriandre, le gingembre et remuez pendant 1 minute. Arrosez de vin de riz ou de Xérès et de sauce de soja, puis laissez frémir encore 1 minute.

5 Laissez refroidir les légumes dans un saladier avant d'ajouter le crabe. Salez et poivrez.

6 Faites ramollir les carrés de galette de riz, en suivant les instructions du fabricant. Déposez un peu de garniture sur un carré, repliez trois côtés et enroulez soigneusement, en soudant l'extrémité avec de l'œuf battu. Procédez de même avec le reste de garniture et de carrés.

7 Faites frire les pâtés impériaux en plusieurs fois, dans l'huile chaude, en les retournant, jusqu'à ce qu'ils soient dorés et croustillants. Posez-les sur du papier absorbant et gardez-les au chaud pendant que vous cuisez le reste. Servez décoré de coriandre et de quartiers de citron, avec la sauce d'accompagnement.

Petits pâtés impériaux

Ces pâtés légers et croustillants peuvent se déguster avec les doigts. Si vous aimez les saveurs épicées, saupoudrez-les de poivre de Cayenne avant de servir.

INGRÉDIENTS

Pour 20 pâtés

1 piment vert
12 cl d'huile végétale
1 petit oignon finement haché
1 gousse d'ail, écrasée
75 g de blanc de poulet cuit sans la peau
1 petite carotte coupée en julienne
1 ciboule finement émincée
1 petit poivron rouge épépiné et coupé en julienne
25 g de germes de soja
1 cuil. à café d'huile de sésame
4 grandes feuilles de pâte filo
1 petit blanc d'œuf légèrement battu
un peu de ciboulette, pour la décoration (facultatif)
3 cuil. à soupe de sauce de soja claire

1 Retirez les graines du piment et hachez-le finement, en protégeant éventuellement vos mains avec des gants en caoutchouc.

2 Faites chauffer 2 cuillerées à soupe d'huile végétale dans un wok préchauffé, puis faites revenir l'oignon, l'ail et le piment pendant 1 minute.

3 Détaillez le blanc de poulet en fines tranches, puis laissez-le dorer dans le wok à feu vif, sans cesser de remuer.

4 Ajoutez la carotte, la ciboule, le poivron rouge, et remuez encore 2 minutes. Incorporez les germes de soja, l'huile de sésame, puis laissez refroidir.

5 Découpez chaque feuille de pâte filo en 5 petites bandes. Déposez un peu de garniture à l'extrémité de chacune, puis repliez les côtés longs et enroulez. Soudez les bords en humectant de blanc d'œuf, puis laissez 15 minutes au frais, sans couvrir, avant de frire.

6 Essuyez le wok avec du papier absorbant, réchauffez-le et versez le reste d'huile végétale. Faites frire les pâtés en plusieurs fois, jusqu'à ce qu'ils soient dorés et croustillants. Posez-les sur du papier absorbant et servez avec la sauce de soja.

CONSEIL

Évitez de toucher votre visage et vos yeux lorsque vous manipulez les piments car ils peuvent brûler ou irriter la peau. Préparez-les de préférence sous l'eau courante.

Pâtés impériaux au crabe et aux champignons

Ces pâtés peuvent se préparer à l'avance et se conserver au réfrigérateur jusqu'à la cuisson.

INGRÉDIENTS

Pour 4 à 6 personnes

25 g de nouilles de riz
50 g de champignons shiitake frais ou séchés
4 ciboules hachées
1 petite carotte râpée
175 g de porc haché
huile végétale, pour la friture
115 g de chair de crabe blanche
1 cuil. à café de sauce de poisson (facultatif)
12 carrés de galette de riz
2 cuil. à soupe de pâte de Maïzena
sel et poivre noir du moulin
1 laitue croquante préparée
1 botte de menthe ou de basilic frais grossièrement ciselés
1 botte de coriandre grossièrement ciselée
1/2 concombre coupé en dés

1 Faites cuire les nouilles 8 minutes dans une grande casserole d'eau bouillante salée, puis coupez-les en petits morceaux. Faites tremper les champignons séchés 10 minutes dans l'eau bouillante, puis égouttez-les et détaillez-les finement.

2 Préparez la garniture dans un wok. Faites revenir les ciboules, la carotte et le porc pendant 8 à 10 minutes dans 1 cuillerée à soupe d'huile chaude. Ajoutez hors du feu le crabe, la sauce de poisson et l'assaisonnement. Incorporez les nouilles, les champignons, puis réservez.

3 Pour garnir les pâtés, humectez un carré de galette de riz, puis déposez dessus 1 cuillerée à café de garniture. Repliez les bords vers le milieu et enroulez en forme de cigare. La pâte de Maïzena permet de souder les bords.

4 Faites frire les pâtés impériaux en plusieurs fois pendant 6 à 8 minutes dans l'huile chaude. L'huile ne doit pas être trop chaude pour que la garniture cuise correctement. Dressez les feuilles de salade, les herbes et le concombre sur un plat, puis couvrez avec les pâtés.

Dim sum

Très prisés des Chinois comme en-cas, ces petits beignets gagnent actuellement la faveur des Occidentaux.

INGRÉDIENTS

Pour 4 personnes

La pâte

150 g de farine
3 cuil. à soupe d'eau bouillante
1 cuil. et 1/2 à soupe d'eau froide
1/2 cuil. à soupe d'huile végétale

La garniture

75 g de porc haché
3 cuil. à soupe de pousses de bambou en boîte, coupées en morceaux
1/2 cuil. à soupe de sauce de soja claire
1 cuil. à café de Xérès sec
1 cuil. à café de sucre roux
1/2 cuil. à café d'huile de sésame
1 cuil. à café de Maïzena
quelques feuilles de laitue croquante, de la sauce de soja, des ciboules préparées de manière décorative, 1 piment rouge frais émincé, et des beignets de crevettes, pour le service

1 Pour préparer la pâte, tamisez la farine dans un saladier. Versez l'eau bouillante, puis l'eau froide avec l'huile. Mélangez pour obtenir une pâte et pétrissez jusqu'à ce qu'elle soit lisse.

2 Divisez la pâte en 16 portions égales et façonnez-la en forme de disques.

3 Pour la garniture, mélangez le porc, les pousses de bambou, la sauce de soja, le Xérès, le sucre et l'huile.

4 Ajoutez la Maïzena et mélangez intimement.

5 Déposez un peu de garniture au centre de chaque disque. Pincez les bords et fermez en forme de petites bourses.

6 Posez un torchon humide à l'intérieur d'un panier à vapeur, puis faites cuire les dim sum 5 à 10 minutes à la vapeur. Disposez les feuilles de salade sur quatre assiettes, couvrez avec les dim sum et servez avec la sauce de soja, les ciboules, le piment et les beignets de crevettes.

VARIANTE

Vous pouvez remplacer le porc par des crevettes cuites, décortiquées. Saupoudrez éventuellement 1 cuillerée à soupe de graines de sésame sur les dim sum avant de les cuire.

Beignets au crabe et au tofu

Ces succulents beignets sont souvent servis comme plat d'accompagnement dans les repas japonais.

INGRÉDIENTS

Pour 4 à 6 personnes

115 g de chair de crabe blanche surgelée, décongelée
115 g de tofu
1 jaune d'œuf
2 cuil. à soupe de farine de riz ou de blé
2 cuil. à soupe de pousses de ciboule finement hachées
2 cm de gingembre frais râpé
2 cuil. à café de sauce de soja
sel
huile végétale, pour la friture
50 g de mooli très finement râpé, pour le service

Sauce d'accompagnement

12 cl de bouillon de légumes
1 cuil. à soupe de sucre
3 cuil. à soupe de sauce de soja

1 Éliminez le maximum d'eau de la chair de crabe et pressez le tofu dans un tamis fin avec le dos d'une cuillère. Mélangez le tofu et le crabe dans un saladier.

2 Ajoutez le jaune d'œuf, la farine, la ciboule, le gingembre, la sauce de soja, puis salez. Malaxez soigneusement jusqu'à obtention d'une pâte.

3 Pour préparer la sauce, mélangez le bouillon, le sucre et la sauce de soja dans un bol de service.

4 Recouvrez une plaque de cuisson de papier absorbant. Faites chauffer l'huile dans un wok ou une poêle à 190 °C. Pendant ce temps, façonnez la préparation au crabe et au tofu sous forme de petites boulettes. Faites frire par trois pendant 1 à 2 minutes. Posez-les sur le papier absorbant, puis servez avec la sauce et le mooli.

Raviolis au porc et aux châtaignes d'eau

Le gingembre et le cinq-épices parfument délicatement ces raviolis cuits à la vapeur.

INGRÉDIENTS

Pour environ 36 raviolis

2 grandes feuilles de chou chinois, plus quelques-unes pour garnir le panier à vapeur
2 ciboules finement hachées
1 cm de gingembre frais haché
50 g de châtaignes d'eau en boîte, rincées et finement coupées
225 g de porc haché
1/2 cuil. à café de cinq-épices
1 cuil. à soupe de Maïzena
1 cuil. à soupe de sauce de soja claire
1 cuil. à soupe de vin de riz chinois ou de Xérès sec
2 cuil. à café d'huile de sésame
1 bonne pincée de sucre en poudre
environ 36 carrés de pâte à raviolis de 7,5 cm de côté
de la sauce de soja claire et de l'huile au piment, pour le service

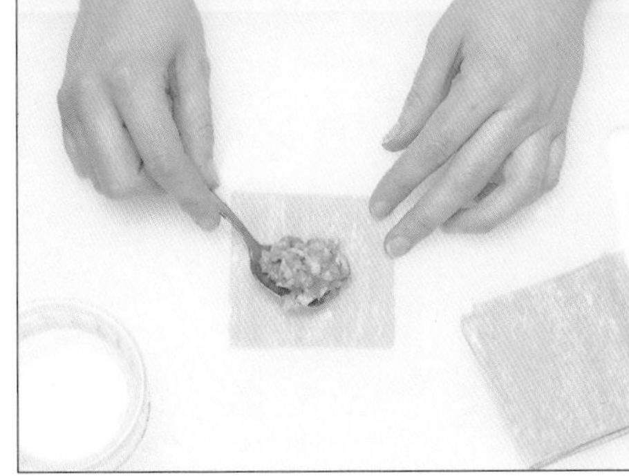

1 Posez les feuilles de chou l'une sur l'autre. Coupez-les en quatre dans la longueur, puis en fines lanières.

2 Mettez le chou dans un saladier. Ajoutez les ciboules, le gingembre, les châtaignes d'eau, le porc, le cinq-épices, la Maïzena, la sauce de soja, le vin de riz ou le Xérès, l'huile de sésame, le sucre, et mélangez intimement.

3 Déposez 1 bonne cuillerée à café de garniture au centre de chaque morceau de pâte. Mouillez les bords avec de l'eau.

4 Repliez la pâte autour de la garniture, en forme de «bourse». Pincez la pâte au milieu et appuyez sur la base pour l'aplatir. Le haut doit rester ouvert. Posez le ravioli sur une plaque et couvrez d'un torchon humide. Répétez l'opération avec le reste de pâte et de garniture.

5 Garnissez un panier à vapeur de feuilles de chou, puis faites cuire quelques raviolis pendant 12 à 15 minutes, jusqu'à ce qu'ils soient tendres. Sortez les raviolis, couvrez-les de papier d'aluminium et gardez-les au chaud pendant la cuisson des autres. Servez chaud avec de la sauce de soja et de l'huile au piment.

Raviolis de fruits de mer à la sauce à la coriandre

Dans ces raviolis ressemblant à des tortellini, les châtaignes d'eau apportent leur croustillant.

INGRÉDIENTS

Pour 4 personnes

225 g de crevettes crues décortiquées, sans les veines
115 g de chair de crabe blanche
4 châtaignes d'eau en boîte, coupées en petits dés
1 ciboule finement hachée
1 petit piment vert épépiné et haché
1/2 cuil. à café de gingembre frais râpé
1 œuf
20 à 24 carrés de pâte à raviolis
sel et poivre noir du moulin
quelques feuilles de coriandre, pour la décoration

La sauce à la coriandre

2 cuil. à soupe de vinaigre de riz
1 cuil. à soupe de gingembre au vinaigre haché
6 cuil. à soupe d'huile d'olive
1 cuil. à soupe de sauce de soja
3 cuil. à soupe de coriandre ciselée
2 cuil. à soupe de poivron rouge coupé en petits dés

1 Coupez les crevettes en menus morceaux dans un saladier. Ajoutez la chair de crabe, les châtaignes d'eau, la ciboule, le piment, le gingembre et le blanc d'œuf. Salez, poivrez et mélangez.

2 Déposez environ 1 cuillerée à café de garniture juste au-dessus du milieu de chaque carré de pâte. Humectez les bords de la pâte avec un peu de jaune d'œuf. Repliez la base du carré sur la garniture. Appuyez légèrement pour chasser l'air, puis fermez délicatement en forme de triangle.

3 Repliez les deux pointes opposées sur la garniture, faites-les se chevaucher, puis pincez fermement. Posez les raviolis sur une grande plaque de cuisson recouverte de papier sulfurisé, pour éviter qu'ils collent.

4 Remplissez une grande cocotte d'eau à mi-hauteur. Faites frémir. Jetez quelques raviolis et laissez-les cuire 2 à 3 minutes à feu doux (ils flottent à la surface). Lorsqu'ils sont cuits, la pâte est translucide. Sortez les raviolis avec une écumoire, égouttez-les rapidement, puis gardez-les au chaud pendant la cuisson des autres.

5 Pour préparer la sauce à la coriandre, mélangez les ingrédients dans un saladier. Dressez les raviolis sur des plats de service, arrosez-les de sauce et décorez de feuilles de coriandre.

Fleurs de raviolis à la sauce aigre-douce

Rapides à préparer, ces raviolis fondants peuvent se consommer en entrée ou comme en-cas.

INGRÉDIENTS

Pour 4 à 6 personnes

16 à 20 carrés de pâte à raviolis
huile végétale, pour la friture

La sauce

1 cuil. à soupe d'huile végétale
2 cuil. à soupe de sucre roux
3 cuil. à soupe de vinaigre de riz
1 cuil. à soupe de sauce de soja claire
1 cuil. à soupe de ketchup
3 à 4 cuil. à soupe d'eau ou de bouillon
1 cuil. à soupe de pâte de Maïzena

1 Pincez le milieu de chaque carré de pâte à raviolis et façonnez-les en forme de fleur.

2 Faites frire les raviolis 1 à 2 minutes dans l'huile chaude, jusqu'à ce qu'ils soient croustillants. Posez-les ensuite sur du papier absorbant.

3 Pour préparer la sauce, faites chauffer l'huile dans un wok ou une poêle. Ajoutez le sucre, le vinaigre, la sauce de soja, le ketchup et l'eau ou le bouillon.

4 Incorporez la pâte de Maïzena pour épaissir la sauce. Remuez jusqu'à obtention d'une consistance lisse. Versez un peu de sauce sur les raviolis et servez aussitôt avec le reste de sauce.

Sandwichs croustillants aux noix de Saint-Jacques

Ces noix de Saint-Jacques aux légumes croquants et à la sauce épicée font une délicieuse entrée.

INGRÉDIENTS

Pour 4 personnes

16 noix de Saint-Jacques moyennes coupées en deux
8 carrés de pâte à raviolis
huile de friture
3 cuil. à soupe d'huile d'olive
1 grosse carotte coupée en julienne
1 gros poireau coupé en julienne
le jus d'1 citron
le jus d'1/2 orange
1 cuil. à soupe de sauce de soja (facultatif)
2 ciboules finement émincées
2 cuil. à soupe de feuilles de coriandre
sel et poivre noir du moulin

La marinade

1 cuil. à café de pâte de curry thaïe rouge
1 cuil. à café de gingembre frais râpé
1 gousse d'ail finement hachée
1 cuil. à soupe de sauce de soja
1 cuil. à soupe d'huile d'olive

1 Pour préparer la marinade, mélangez tous les ingrédients dans un saladier. Ajoutez les noix de Saint-Jacques, remuez et laissez mariner 30 minutes.

2 Faites frire les carrés de pâte en plusieurs fois dans l'huile chaude, jusqu'à ce qu'ils soient dorés et croustillants.

3 Posez-les sur du papier absorbant et réservez.

4 Faites chauffer la moitié de l'huile d'olive dans une grande poêle. Ajoutez les noix de Saint-Jacques avec la marinade, puis faites-les dorer à feu vif pendant 1 minute, en évitant de trop les cuire (elles doivent être fermes, et non caoutchouteuses). Posez-les sur une assiette.

5 Faites chauffer le reste d'huile d'olive dans la poêle avant d'incorporer les morceaux de carotte et de poireau. Remuez jusqu'à ce que les légumes ramollissent, tout en restant croquants. Salez, poivrez, arrosez des jus de citron et d'orange, et ajoutez si besoin un peu de sauce de soja.

6 Mélangez les noix de Saint-Jacques aux légumes, dans la poêle, et faites chauffer. Mettez dans un saladier, ajoutez les ciboules et la coriandre. Pour servir, posez un quart de la préparation entre 2 carrés de pâte. Confectionnez 3 autres «sandwichs» de la même façon et servez aussitôt.

Gâteaux de riz à la sauce épicée

Très populaires en Thaïlande, ces en-cas se préparent rapidement et se conservent très longtemps dans un récipient hermétique.

INGRÉDIENTS

Pour 4 à 6 personnes

175 g de riz parfumé
35 cl d'eau
huile de friture

La sauce épicée

6 à 8 piments séchés
1/2 cuil. à café de sel
2 échalotes hachées
2 gousses d'ail hachées
4 racines de coriandre
10 grains de poivre blanc
25 cl de lait de coco
1 cuil. à café de pâte de crevettes
115 g de porc haché
115 g de tomates cerise coupées en petits morceaux
1 cuil. à soupe de sauce de poisson
1 cuil. à soupe de sucre de palme
2 cuil. à soupe de jus de tamarin
2 cuil. à soupe de cacahuètes grillées hachées
2 ciboules finement hachées

1 Coupez la tige des piments et retirez les graines. Faites-les tremper 20 minutes dans l'eau chaude. Égouttez avant de les mettre dans un mortier.

2 Salez les piments, puis écrasez-les soigneusement avec un pilon. Ajoutez les échalotes, l'ail, la coriandre et les grains de poivre. Pilez jusqu'à obtention d'une pâte.

3 Faites bouillir le lait de coco dans une casserole, jusqu'à ce qu'il commence à se séparer. Ajoutez la pâte de piment et faites cuire 2 à 3 minutes. Incorporez la pâte de crevettes et poursuivez la cuisson encore 1 minute.

4 Mélangez le porc, en séparant les morceaux avec une cuillère. Faites cuire 5 à 10 minutes. Ajoutez les tomates, la sauce de poisson, le sucre de palme et le jus de tamarin. Laissez frémir jusqu'à ce que la sauce épaississe.

5 Incorporez les cacahuètes et les ciboules, puis laissez refroidir.

6 Lavez le riz dans plusieurs eaux. Mettez-le dans une casserole, versez l'eau et couvrez hermétiquement. Portez à ébullition, puis laissez frémir 15 minutes.

7 Retirez le couvercle et aérez le riz à l'aide d'une fourchette. Renversez-le sur une plaque de cuisson graissée, en l'aplatissant avec une cuillère. Laissez-le sécher et durcir toute la nuit à four très doux.

8 Retirez le riz de la plaque et cassez-le en petits morceaux. Faites chauffer l'huile dans un wok.

9 Faites frire les gâteaux de riz en plusieurs fois pendant 1 minute, jusqu'à ce qu'ils se boursouflent, sans laisser dorer. Égouttez-les, avant de servir avec la sauce épicée.

Tempura de légumes

Ces beignets s'inspirent du *kakiage,* spécialité japonaise à base de poisson, crevettes et légumes.

INGRÉDIENTS

Pour 4 personnes

2 courgettes moyennes
1/2 aubergine moyenne
1 grosse carotte
1/2 petit oignon
1 œuf
12 cl d'eau glacée
115 g de farine
huile végétale, pour la friture
sel et poivre noir du moulin
un peu de sel marin, des rondelles de citron et de la sauce de soja japonaise *(shoyu),* pour le service

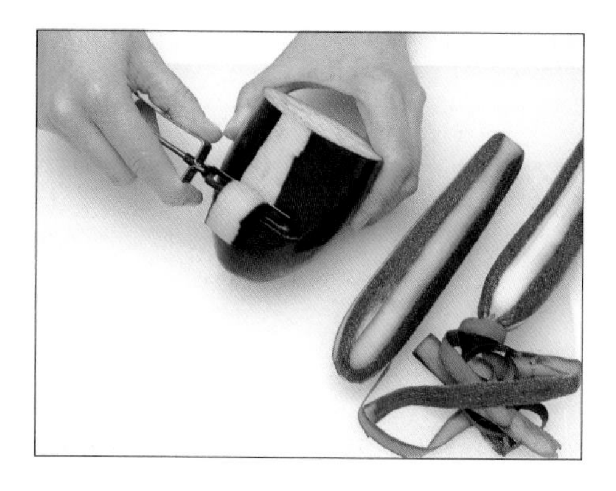

1 Coupez des bandes de peau dans les courgettes et l'aubergine, avec un épluche-légumes, pour faire des rayures.

2 Détaillez les courgettes, l'aubergine et la carotte en bâtonnets d'environ 8 cm de long et 3 mm de large.

3 Mettez les courgettes, l'aubergine et la carotte dans une passoire et saupoudrez généreusement de sel. Laissez dégorger 30 minutes, puis rincez sous l'eau froide. Égouttez soigneusement.

4 Émincez finement l'oignon et jetez le centre. Séparez les couches pour obtenir des morceaux fins et longs. Mélangez tous les légumes, salez et poivrez.

5 Préparez la pâte juste avant de faire cuire les beignets. Mélangez l'œuf et l'eau glacée dans un saladier, puis ajoutez la farine en la tamisant. Remuez grossièrement avec une fourchette ; la pâte doit rester grumeleuse. Ajoutez les légumes et mélangez.

6 Remplissez un wok d'huile à mi-hauteur et faites chauffer à 180 °C. Prélevez des cuillerées de préparation que vous déposez délicatement dans l'huile. Faites frire 3 minutes en plusieurs fois, pour obtenir des beignets dorés et croustillants. Posez-les sur du papier absorbant. Servez les beignets, accompagnés de sel, de rondelles de citron et de sauce de soja japonaise.

Travers de porc épicés

Cette préparation épicée, typiquement chinoise, ouvrira avec succès un repas entre amis.

INGRÉDIENTS

Pour 4 personnes

800 g de travers de porc
1 cuil. à café de grains de poivre
2 cuil. à soupe de gros sel marin
1/2 cuil. à café de cinq-épices
1 cuil. et 1/2 à soupe de Maïzena
huile d'arachide, pour la friture
quelques branches de coriandre, pour la décoration

La marinade

2 cuil. à soupe de sauce de soja
1 cuil. à café de sucre en poudre
1 cuil. à soupe de vin de riz chinois ou de Xérès sec
poivre noir du moulin

1 Coupez les travers de porc en morceaux de 5 cm de long avec un hachoir bien affûté, ou demandez à votre boucher de procéder à cette opération. Réservez.

2 Faites dorer les grains de poivre et le sel pendant 3 minutes dans un wok chaud, en remuant sans arrêt. Ajoutez hors du feu le cinq-épices, puis laissez refroidir.

3 Écrasez la préparation dans un mortier avec un pilon, jusqu'à obtention d'une poudre fine.

4 Saupoudrez 1 cuillerée à café de cette poudre sur les travers, puis enrobez-les soigneusement avec les mains. Ajoutez tous les ingrédients de la marinade et remuez délicatement. Couvrez et laissez mariner 2 heures au réfrigérateur, en retournant de temps en temps.

5 Jetez l'excès de marinade. Saupoudrez les travers de Maïzena et mélangez pour les en enrober.

6 Remplissez un wok d'huile à mi-hauteur et faites chauffer à 180 °C. Laissez dorer les travers 3 minutes en plusieurs fois, puis réservez. Réchauffez l'huile à la même température avant de faire frire une seconde fois pendant 1 à 2 minutes. Posez-les sur du papier absorbant. Dressez sur un plat de service chaud et saupoudrez-les avec la 1/2 cuillerée à café de poudre restante. Décorez de branches de coriandre et servez aussitôt.

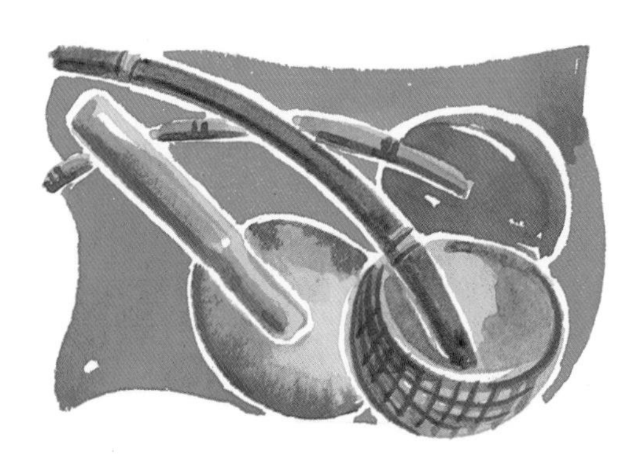

CONSEIL

Vous pouvez conserver le reste de poudre d'épices plusieurs mois dans un bocal hermétique et en utiliser pour enrober la peau d'un canard, d'un poulet ou des morceaux de porc avant la cuisson.

Brochettes de poulet laqué

Cet en-cas appétissant, nommé *yakitori*, accompagne souvent l'apéritif au Japon.

INGRÉDIENTS

Pour 12 brochettes

4 cuisses de poulet sans la peau
4 ciboules blanchies et hachées menu
8 ailes de poulet
1 cuil. à soupe de mooli râpé, pour le service (facultatif)

La sauce

4 cuil. à soupe de saké
5 cuil. à soupe de sauce de soja foncée
2 cuil. à soupe de sauce tamari
3 cuil. à soupe de Xérès doux
4 cuil. à soupe de sucre

1 Désossez les cuisses de poulet et coupez la viande en gros dés. Enfilez les ciboules et le poulet sur 12 brochettes de bambou.

2 Pour préparer les ailes, coupez la pointe de la première articulation. Sectionnez la seconde articulation, en laissant apparaître les deux petits os. Prenez les os avec un torchon propre et tirez en faisant tourner la viande autour des os. Retirez le petit os et réservez la viande.

3 Réunissez les ingrédients de la sauce dans une cocotte émaillée et faites frémir jusqu'à ce qu'elle réduise des deux tiers. Laissez refroidir.

4 Faites cuire les brochettes de poulet et les ailes sous le gril préchauffé, sans les humecter d'huile. Lorsque le jus commence à sortir, arrosez généreusement de sauce. Poursuivez la cuisson des brochettes pendant 3 minutes et celle des ailes pendant 5 minutes. Servez éventuellement avec du mooli râpé.

Nids de canard aux œufs

Les Thaïlandais ont un ustensile pour préparer cette spécialité. De forme conique, il est percé de trous qui laissent couler la préparation aux œufs sous forme de filaments. Vous pouvez le remplacer par un petit entonnoir ou une poche à douille.

INGRÉDIENTS

Pour environ 12 à 15 portions

La garniture

4 racines de coriandre
2 gousses d'ail
10 grains de poivre blanc
1 pincée de sel
3 cuil. à soupe d'huile
1 petit oignon finement haché
115 g de porc maigre haché
75 g de crevettes décortiquées et coupées en menus morceaux
50 g de cacahuètes grillées moulues
1 cuil. à café de sucre de palme
1 cuil. à soupe de sauce de poisson *(nuoc-mâm)*

Les filets d'œuf

6 œufs de cane
quelques feuilles de coriandre
2 ciboules taillées de manière décorative, et des petits piments rouges émincés, pour la décoration

1 Dans un mortier, écrasez les racines de coriandre, l'ail, le poivre et le sel pour obtenir une pâte.

2 Faites revenir cette pâte dans 2 cuillerées à soupe d'huile. Ajoutez l'oignon et laissez cuire afin qu'il soit tendre. Mettez le porc, les crevettes, et remuez jusqu'à ce que la viande soit cuite.

3 Mélangez les cacahuètes, le sucre de palme et la sauce de poisson, puis poursuivez la cuisson pour obtenir une consistance légèrement collante. Réservez dans un saladier.

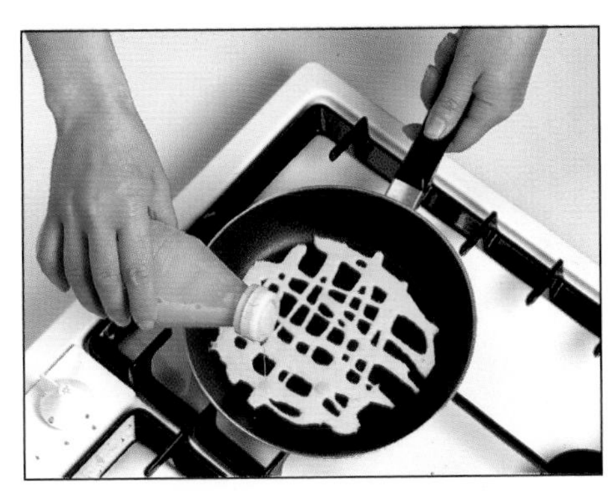

4 Fouettez les œufs dans un autre saladier. Graissez une poêle anti-adhésive avec le reste d'huile et faites-la chauffer. Remplissez d'œuf un ustensile spécial ou une poche à douille et dessinez un filet au fond de la poêle, sur environ 13 cm de diamètre.

5 Lorsque le filet est ferme, retirez délicatement de la poêle. Répétez l'opération jusqu'à utilisation de tous les œufs.

6 Pour confectionner les préparations, posez un filet sur un plan de travail, couvrez avec quelques feuilles de coriandre, puis 1 cuillerée de garniture. Repliez les côtés en forme de carré. Procédez de même avec les autres filets. Dressez sur un plat de service et décorez de ciboule, de feuilles de coriandre et de piments.

Concombre aigre-doux

Préparée à l'avance, cette entrée n'en sera que plus savoureuse.

INGRÉDIENTS

Pour 6 à 8 personnes

1 concombre d'environ 30 cm de long
1 cuil. à café de sel
2 cuil. à café de sucre en poudre
1 cuil. à café de vinaigre de riz
1/2 cuil. à café d'huile au piment rouge (facultatif)
quelques gouttes d'huile de sésame

1 Coupez le concombre non pelé en deux dans la longueur. Retirez les graines et détaillez-le en morceaux.

2 Saupoudrez de sel les morceaux de concombre et mélangez bien. Laissez dégorger au moins 20 à 30 minutes – davantage si possible –, puis jetez le liquide rendu.

3 Mélangez le concombre avec le sucre, le vinaigre et l'huile au piment. Arrosez d'huile de sésame juste avant de servir.

Chou sauce aigre-douce

Originaire du Sichuan, dans l'ouest de la Chine, ce mets populaire se sert chaud ou froid.

INGRÉDIENTS

Pour 6 à 8 personnes

450 g de chou vert ou blanc
4 cuil. à soupe d'huile végétale
12 grains de poivre du Sichuan
quelques piments rouges séchés entiers
1 cuil. à café de sel
1 cuil. à soupe de sucre roux
1 cuil. à soupe de sauce de soja claire
2 cuil. à soupe de vinaigre de riz
quelques gouttes d'huile de sésame

1 Détaillez les feuilles de chou en petits morceaux d'environ 2,5 x 1 cm.

2 Faites chauffer l'huile dans un wok préchauffé, jusqu'à ce qu'elle fume, avant d'ajouter les grains de poivre et les piments.

3 Incorporez le chou et faites-le revenir pendant 1 à 2 minutes. Mélangez le sel et le sucre pendant encore 1 minute, puis versez la sauce de soja, le vinaigre et l'huile de sésame. Remuez soigneusement et servez aussitôt.

Boulettes de viande épicées à la noix de coco

Rehaussées de noix de coco, les boulettes de viande épicées, appelées *rempah,* figurent souvent parmi les succulentes préparations d'un buffet indonésien.

INGRÉDIENTS

Pour 22 boulettes

115 g de noix de coco râpée, ayant trempé dans 4 à 6 cuil. à soupe d'eau bouillante
350 g de bœuf finement haché
1/2 cuil. à café de graines de coriandre et de cumin grillées
1 gousse d'ail écrasée
un peu d'œuf battu
1 à 2 cuil. à soupe de farine
huile d'arachide, pour la friture
sel
des quartiers de citron, pour le service

1 Mélangez la noix de coco humide et le bœuf haché.

2 Écrasez les graines de coriandre et de cumin dans un mortier avec un pilon. Incorporez-les à la préparation précédente avec l'ail. Salez et liez avec l'œuf battu.

3 Divisez la préparation en portions de la taille de noix et façonnez-les en forme de boulettes.

4 Saupoudrez de farine, puis laissez-les dorer 4 à 5 minutes de chaque côté dans l'huile chaude. Servez avec des quartiers de citron.

Beignets de maïs

Choisissez de préférence du maïs frais pour réaliser cette recette, dénommée *perkedel jagung.* Ne salez pas l'eau pour éviter de durcir les grains de maïs.

INGRÉDIENTS

Pour 20 beignets

2 épis de maïs frais ou 350 g de grains de maïs en boîte
4 amandes
1 gousse d'ail
1 oignon coupé en quatre
1 cm de *lengkwas* pelé et émincé
1 cuil. à café de coriandre moulue
2 à 3 cuil. à soupe d'huile
3 œufs battus
2 cuil. à soupe de noix de coco râpée
2 ciboules finement émincées
quelques feuilles de céleri finement hachées (facultatif)
sel

1 Faites cuire les épis de maïs 7 à 8 minutes dans de l'eau bouillante. Égouttez et laissez refroidir légèrement avant d'en détacher les grains. Si vous utilisez du maïs en boîte, égouttez-le.

2 Broyez finement les amandes, l'ail, l'oignon, le *lengkwas* et la coriandre dans un mixer ou avec un mortier et un pilon. Faites revenir la préparation dans un peu d'huile chaude jusqu'à ce qu'elle libère son arôme.

3 Incorporez les épices dans les œufs battus avec la noix de coco, les ciboules, les feuilles de céleri, les grains de maïs, puis salez.

4 Faites chauffer le reste d'huile dans une poêle. Déposez 3 ou 4 grosses cuillerées de préparation et laissez dorer 2 à 3 minutes. Retournez les beignets et poursuivez la cuisson jusqu'à ce qu'ils soient dorés et croustillants. Procédez de même avec le reste de la préparation.

Les Poissons et les Fruits de mer

Les nombreuses îles du Pacifique et les interminables côtes qui s'étirent le long du continent chinois abondent en poissons et fruits de mer à l'origine de succulentes recettes. Rehaussés d'herbes aromatiques et de marinades, les poissons, entiers ou en filets, se cuisent à la vapeur, au four ou à la poêle. La préparation des crevettes, moules, noix de Saint-Jacques, calmars et autres fruits de mer donne lieu à des possibilités infinies, des Moules aux herbes thaïes *aux* Crevettes à la chayote et au curcuma – *autant de mets rapides à préparer, exquis et nourrissants.*

Poisson au gingembre et aux ciboules

Des poissons fermes et délicats, comme le saumon ou le turbot, se prêtent bien à cette préparation.

INGRÉDIENTS

Pour 4 à 6 personnes

1 poisson d'environ 700 g vidé (bar, truite ou mulet)
1/2 cuil. à café de sel
1 cuil. à soupe d'huile de sésame
2 à 3 ciboules coupées en deux dans la longueur
2 cuil. à soupe de sauce de soja claire
2 cuil. à soupe de vin de riz chinois ou de Xérès sec
1 cuil. à soupe de gingembre frais coupé en julienne
2 cuil. à soupe d'huile végétale
des ciboules coupées en julienne, pour la décoration

1 Incisez la peau du poisson des deux côtés en pratiquant des entailles en diagonale à environ 2,5 cm d'intervalle, jusqu'à l'arête. Frottez l'intérieur et l'extérieur de sel et badigeonnez d'huile.

2 Répartissez les ciboules sur un plat résistant à la chaleur et posez le poisson dessus. Mélangez la sauce de soja et le vin de riz ou le Xérès avec le gingembre, puis versez sur le poisson.

3 Mettez le plat dans un panier-vapeur très chaud (ou sur une grille, dans un wok) et faites cuire 12 à 15 minutes à couvert.

4 Faites chauffer l'huile végétale à feu vif. Retirez le plat du panier-vapeur, couvrez le poisson de morceaux de ciboule, puis arrosez généreusement d'huile chaude. Servez aussitôt.

Lotte aux vermicelles de riz

Aussi savoureux qu'appétissants, ces médaillons de poisson marinés sont enrobés de vermicelles de riz avant d'être frits.

INGRÉDIENTS

Pour 4 personnes

450 g de lotte
1 cuil. à café de gingembre frais râpé
1 gousse d'ail finement hachée
2 cuil. à soupe de sauce de soja
175 g de vermicelles de riz
50 g de Maïzena
2 œufs battus
sel et poivre noir du moulin
huile de friture
quelques feuilles de bananier, pour le service (facultatif)

La sauce d'accompagnement

2 cuil. à soupe de sauce de soja
2 cuil. à soupe de vinaigre de riz
1 cuil. à soupe de sucre
2 piments rouges finement émincés
1 ciboule finement émincée

1 Détaillez la lotte en morceaux d'environ 2,5 cm d'épaisseur. Mélangez avec le gingembre, l'ail et la sauce de soja, puis laissez mariner 10 minutes.

2 Pendant ce temps, préparez la sauce. Mélangez la sauce de soja, le vinaigre et le sucre dans une petite casserole. Portez à ébullition, salez et poivrez. Incorporez les piments et la ciboule hors du feu, puis réservez.

3 Coupez les vermicelles en sections de 4 cm de long avec des ciseaux et séparez-les.

4 Enrobez les morceaux de poisson de Maïzena, plongez-les dans l'œuf battu et couvrez-les de vermicelles, en appuyant dessus pour qu'ils adhèrent bien.

5 Faites frire 2 à 3 morceaux de poisson dans l'huile chaude, jusqu'à ce que les vermicelles soient dorés et croustillants. Égouttez-les, puis servez chaud sur des feuilles de bananier, avec la sauce d'accompagnement.

Poisson aux cinq légumes

Cinq légumes entrent dans la composition de la sauce aigre-douce de ce plat particulièrement savoureux.

INGRÉDIENTS

Pour 4 à 6 personnes

1 poisson d'environ 700 g vidé (carpe, brême, bar, truite, mérou ou mulet)
1 cuil. à café de sel
2 cuil. à soupe de farine
huile végétale, pour la friture
des feuilles de coriandre fraîche, pour la décoration

La sauce aigre-douce

1 petite carotte coupée en julienne
50 g de pousses de bambou coupées en julienne
25 g de poivron vert épépiné et coupé en julienne
25 g de poivron rouge épépiné et coupé en julienne
2 à 3 ciboules coupées en julienne
1 cuil. à soupe d'huile végétale
1 cuil. à soupe de gingembre frais finement haché
1 cuil. à soupe de sauce de soja claire
2 cuil. à soupe de sucre roux
2 à 3 cuil. à soupe de vinaigre de riz
12 cl de bouillon clair *(voir p. 16)*
1 cuil. à soupe de pâte de Maïzena

1 Nettoyez et séchez soigneusement le poisson. Incisez la peau des deux côtés en pratiquant des entailles en diagonale à environ 2,5 cm d'intervalle, jusqu'à l'arête.

2 Frottez l'intérieur et l'extérieur de sel, puis enrobez complètement le poisson de farine.

3 Faites dorer le poisson des 2 côtés pendant 3 à 4 minutes, dans l'huile chaude. Égouttez-le, puis posez-le sur un plat de service chaud.

4 Pour la sauce, faites revenir les légumes 1 minute dans l'huile chaude, puis ajoutez le gingembre, la sauce de soja, le sucre et le vinaigre de riz. Mélangez intimement, versez le bouillon et portez à ébullition. Incorporez la pâte de Maïzena, en remuant jusqu'à ce que la sauce épaississe. Versez sur le poisson et servez, décoré de coriandre.

Poisson au sésame et au gingembre

Les supermarchés asiatiques proposent un large choix de poissons tropicaux pour réaliser ce mets originaire de Malaisie.

INGRÉDIENTS

Pour 4 à 6 personnes

2 poissons d'environ 350 g chacun (dorade, poisson perroquet, queues de lotte)
3 à 4 feuilles de bananier (facultatif)

La marinade

2 cuil. à soupe de graines de sésame
2 cuil. à soupe d'huile végétale, plus quelques cuillerées pour la poêle
2 cuil. à café d'huile de sésame
2,5 cm de gingembre frais finement émincé
2 gousses d'ail écrasées
2 petits piments rouges frais épépinés et finement hachés
4 échalotes ou 1 oignon moyen émincés
2 cuil. à soupe d'eau
1 cm de pâte de crevettes ou 1 cuil. à soupe de sauce de poisson
2 cuil. à café de sucre
1/2 cuil. à café de poivre noir du moulin
le jus de 2 citrons

1 Nettoyez et essuyez le poisson soigneusement. Incisez profondément la peau des deux côtés. Si vous avez choisi un poisson perroquet, frottez-le de sel et laissez reposer 15 minutes pour éliminer la saveur du corail.

2 Dans un wok préchauffé, préparez la marinade. Faites dorer les graines de sésame dans les deux huiles. Ajoutez le gingembre, l'ail, les piments, les échalotes ou l'oignon et remuez pendant 1 à 2 minutes. Incorporez l'eau, la pâte de crevettes ou la sauce de poisson, le sucre, le poivre, le jus de citron, puis faites frémir 2 à 3 minutes. Laissez refroidir hors du feu.

CONSEIL

Les feuilles de bananier se vendent dans les épiceries asiatiques et indiennes.

3 Si vous utilisez les feuilles de bananier, ôtez et jetez la tige centrale. Plongez-les dans l'eau bouillante pour les ramollir. Humectez-les d'huile végétale pour éviter qu'elles sèchent. Étalez la marinade sur les poissons, puis enveloppez-les séparément dans les feuilles de bananier, en les maintenant avec une brochette, ou dans du papier d'aluminium. Laissez reposer 3 heures au frais pour qu'ils s'imprègnent des différents parfums.

4 Faites cuire 35 à 40 minutes dans le four préchauffé à 180 °C/thermostat 4 ou sur le barbecue. Servez chaud.

Poisson chinois à la vapeur

Les Chinois préparent couramment le poisson à la vapeur, dans un wok. Dans cette recette, il se rehausse d'ail, de gingembre et de ciboules frites.

INGRÉDIENTS

Pour 4 personnes

4 truites arc-en-ciel d'environ 250 g chacune
1/4 de cuil. à café de sel
1/2 cuil. à café de sucre
2 gousses d'ail finement hachées
1 cuil. à soupe de gingembre frais haché menu
5 ciboules détaillées en julienne
1 cuil. à café d'huile de sésame
4 cuil. à soupe d'huile d'arachide
3 cuil. à soupe de sauce de soja claire
des nouilles fines aux œufs et des légumes frits, pour le service

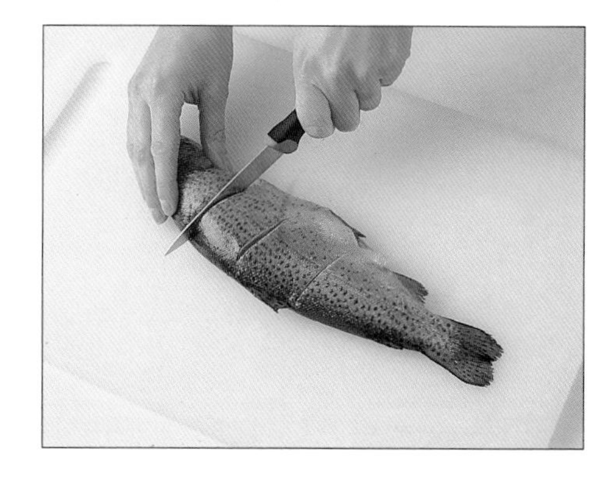

1 Pratiquez trois entailles en diagonale des 2 côtés de chaque poisson avant de les poser dans un plat résistant à la chaleur. Posez une petite grille dans un wok rempli d'eau à mi-hauteur, couvrez et laissez frémir.

2 Saupoudrez le poisson de sel, sucre, ail et gingembre. Posez le plat sur la grille et couvrez. Faites cuire 10 à 12 minutes à feu doux, afin que la chair devienne rose clair, tout en restant ferme.

3 Éteignez le feu, retirez le couvercle et répartissez les ciboules sur le poisson. Couvrez de nouveau.

4 Faites chauffer l'huile de sésame et l'huile d'arachide à feu vif dans une petite casserole jusqu'à ce qu'elles commencent à fumer, puis versez-en un quart sur chaque poisson – les ciboules cuisent dans l'huile chaude. Arrosez de sauce de soja. Servez aussitôt le poisson et la sauce avec des nouilles cuites à l'eau et des légumes frits.

Filets de poisson épicés à la chinoise

INGRÉDIENTS

Pour 4 personnes

65 g de farine
1 cuil. à café de cinq-épices
8 filets de poisson sans la peau (plie, limande-sole), d'environ 800 g au total
1 œuf légèrement battu
40 g de chapelure
huile d'arachide, pour la friture
4 ciboules finement émincées
350 g de tomates épépinées et détaillées en cubes
25 g de beurre
2 cuil. à soupe de sauce de soja
sel et poivre noir du moulin
1/4 de poivron rouge coupé en julienne, et un peu de ciboule, pour la décoration

1 Tamisez la farine sur une assiette avec le cinq-épices, le sel et le poivre. Farinez les filets, avant de les plonger dans l'œuf battu, et de les enrober de chapelure.

2 Versez l'huile sur 1 cm de hauteur, dans une grande poêle. Faites chauffer jusqu'à ce qu'elle commence à grésiller. Ajoutez quelques filets et laissez dorer 2 à 3 minutes de chaque côté. Évitez de remplir la poêle : la température de l'huile baisserait et les poissons en absorberaient trop.

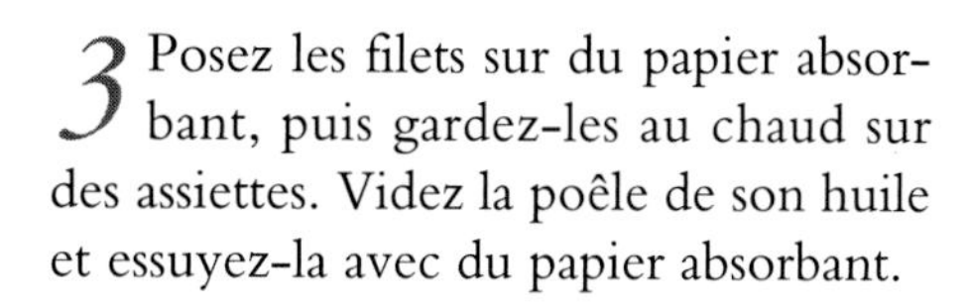

3 Posez les filets sur du papier absorbant, puis gardez-les au chaud sur des assiettes. Videz la poêle de son huile et essuyez-la avec du papier absorbant.

4 Faites revenir les ciboules et les tomates dans le beurre pendant 1 minute, avant d'ajouter la sauce de soja.

5 Versez cette préparation sur le poisson, décorez de poivron rouge et de ciboule, puis servez.

Poisson au gingembre et aux noix de cajou

La cuisson en papillote préserve la saveur délicatement épicée de ces poissons. Les délicieux parfums se révéleront dès que vous ouvrirez le papier.

INGRÉDIENTS

Pour 4 personnes

1 kg de bar écaillé et vidé

La marinade

150 g de noix de cajou crues
2 échalotes ou 1 petit oignon finement hachés
1 cm de gingembre frais, finement haché
1 gousse d'ail écrasée
1 petit piment rouge frais épépiné et finement haché
2 cuil. à soupe d'huile végétale
1 cuil. à soupe de pâte de crevettes
2 cuil. à café de sucre
2 cuil. à soupe de sauce de tamarin
2 cuil. à soupe de ketchup
le jus de 2 citrons
sel

1 Pratiquez 3 à 4 entailles de chaque côté des poissons, puis réservez.

2 Broyez finement les noix de cajou, les échalotes ou l'oignon, le gingembre, l'ail et le piment dans un mortier ou un mixer. Ajoutez l'huile végétale, la pâte de crevettes, le sucre, puis salez. Mélangez bien et incorporez la sauce de tamarin, le ketchup et le jus de citron. Malaxez intimement.

3 Enrobez les deux côtés des poissons de cette préparation et laissez mariner 8 heures au réfrigérateur.

4 Enveloppez les poissons dans du papier d'aluminium, puis faites cuire 30 à 35 minutes dans le four préchauffé à 180 °C/thermostat 4.

Poisson à la sauce aigre-douce

INGRÉDIENTS

Pour 4 personnes

1 poisson entier (dorade ou carpe) d'environ 1 kg
2 à 3 cuil. à soupe de Maïzena
huile de friture
sel et poivre noir du moulin
du riz cuit à l'eau, pour le service

La pâte épicée

2 gousses d'ail
2 tiges de citronnelle
2,5 cm de *lengkwas*
2,5 cm de gingembre frais
2 cm de curcuma frais ou 1/2 cuil. à café de curcuma en poudre
10 amandes

La sauce aigre-douce

1 cuil. à soupe de sucre roux
3 cuil. à soupe de vinaigre de cidre
environ 35 cl d'eau
2 feuilles de citron vert en morceaux
4 échalotes coupées en quatre
3 tomates pelées et concassées
3 ciboules coupées en julienne
1 piment rouge frais épépiné et coupé en julienne

1 Demandez au poissonnier de vider et d'écailler le poisson, en laissant la tête et la queue, ou faites-le vous-même. Lavez et essuyez le poisson avant de saupoudrer l'intérieur et l'extérieur de sel. Laissez reposer 15 minutes, pendant la préparation des autres ingrédients.

2 Pelez et écrasez les gousses d'ail. Émincez finement la partie inférieure des tiges de citronnelle. Pelez et émincez le *lengkwas,* le gingembre et le curcuma frais. Broyez finement les amandes, l'ail, la citronnelle, le *lengkwas,* le gingembre et le curcuma dans un mixer ou un mortier.

3 Mettez cette préparation dans un saladier. Incorporez le sucre roux, le vinaigre de cidre, l'eau, le sel, puis les feuilles de citron.

4 Saupoudrez le poisson de Maïzena et faites-le cuire 8 à 9 minutes des deux côtés dans l'huile. Posez le poisson sur du papier absorbant, puis mettez-le sur un plat de service. Gardez au chaud.

5 Jetez une partie de l'huile, avant de verser le liquide épicé et de porter à ébullition. Laissez frémir 3 à 4 minutes. Ajoutez les échalotes, les tomates, puis, 1 minute après, les ciboules et le piment. Rectifiez si besoin l'assaisonnement.

6 Nappez le poisson de sauce avant de servir avec du riz.

Bar à la ciboule chinoise

La ciboule chinoise se vend dans les épiceries asiatiques, mais vous pouvez la remplacer par la moitié d'un oignon rouge d'Espagne, finement émincé.

INGRÉDIENTS

Pour 4 personnes

2 bars d'environ 450 g au total
1 cuil. à soupe de Maïzena
3 cuil. à soupe d'huile végétale
175 g de ciboule chinoise
1 cuil. à soupe de vin de riz chinois ou de Xérès sec
1 cuil. à café de sucre en poudre
sel et poivre noir du moulin
de la ciboule chinoise avec les fleurs, pour la décoration

1 Écaillez le poisson de la queue vers la tête, puis levez les filets.

2 Détaillez les filets en gros morceaux et saupoudrez-les légèrement de Maïzena, de sel et de poivre.

3 Faites chauffer 2 cuillerées à soupe d'huile dans un wok préchauffé. Saisissez le poisson, puis réservez. Essuyez le wok avec du papier absorbant.

4 Coupez la ciboule en sections de 5 cm de long et jetez les fleurs. Réchauffez le wok avant de verser le reste d'huile, puis faites revenir la ciboule pendant 30 secondes. Ajoutez le poisson et le vin de riz ou le Xérès sec, portez à ébullition, puis mélangez le sucre. Servez chaud, décoré de ciboule avec les fleurs.

Maquereau grillé au sel

Les Japonais frottent les poissons gras de sel avant la cuisson pour en rehausser la saveur. Le maquereau, le mérou et l'orphie se prêtent particulièrement à cette préparation, appelée *shio-yaki* au Japon. Le sel est éliminé juste avant la cuisson.

INGRÉDIENTS

Pour 2 personnes

2 petits poissons gras ou 1 gros (maquereau, mérou ou orphie) vidés et nettoyés, avec la tête
2 cuil. à soupe de sel de table
1 carotte moyenne, coupée en julienne, pour le service

La sauce de soja au gingembre

4 cuil. à soupe de sauce de soja foncée
2 cuil. à soupe de sucre
2,5 cm de gingembre frais

raifort japonais
3 cuil. à soupe de poudre de *wasabi*
2 cuil. à café d'eau

1 Pour préparer la sauce de soja au gingembre, mélangez dans une casserole la sauce de soja, le sucre et le gingembre. Portez à ébullition, puis laissez frémir 2 à 3 minutes. Filtrez et laissez refroidir. Pour préparer le raifort, mélangez la poudre de *wasabi* et l'eau dans un bol jusqu'à obtention d'une pâte ferme. Formez une boule et réservez.

2 Rincez le poisson sous l'eau froide, puis essuyez-le avec du papier absorbant. Pratiquez plusieurs entailles des deux côtés, jusqu'à l'arête. Saupoudrez l'intérieur de sel et frottez-en l'extérieur. Laissez reposer 40 minutes.

3 Lavez le poisson dans une grande quantité d'eau froide pour éliminer toute trace de sel. Incurvez légèrement le poisson et maintenez-le en place en piquant 2 brochettes de bambou dans la longueur du corps, 1 au-dessus et 1 au-dessous de l'œil.

4 Faites cuire le poisson 10 à 12 minutes sous le gril préchauffé ou sur un barbecue, en le retournant une fois. Vous pouvez l'arroser avec un peu de sauce pendant la cuisson. Posez le poisson sur un plat de service et disposez à côté la carotte, le raifort et la sauce.

CONSEIL

Le *wasabi* est la racine broyée d'une variété orientale de raifort. Il relève de sa saveur prononcée le poisson cru et les coquillages. En Occident, il est commercialisé sous forme de poudre qui doit être délayée dans de l'eau.

Assiette de fruits de mer au gingembre

Cette assiette, réunissant des noix de Saint-Jacques, des crevettes et des calmars agrémentés d'une sauce parfumée, compose un repas estival rafraîchissant, avec du pain frais et un verre de vin blanc sec. Elle peut aussi être servie en entrée pour quatre personnes.

INGRÉDIENTS

Pour 2 personnes

2,5 cm de gingembre frais finement haché
1 botte de ciboules émincées
1 cuil. à soupe d'huile de tournesol
1 cuil. à café d'huile de sésame
1 poivron rouge épépiné et finement haché
115 g de noix de Saint-Jacques
8 grosses crevettes décortiquées
115 g d'anneaux de calmars
1 cuil. à soupe de jus de citron vert
1 cuil. à soupe de sauce de soja claire
4 cuil. à soupe de lait de coco
sel et poivre noir du moulin
des feuilles de salade et quelques quartiers de citron, pour le service

1 Dans un wok, faites dorer le gingembre et les ciboules pendant 2 à 3 minutes dans les deux huiles chaudes. Ajoutez le poivron et poursuivez la cuisson pendant 3 minutes.

2 Incorporez les noix de Saint-Jacques, les crevettes, les calmars, puis faites chauffer pendant 3 minutes, jusqu'à ce que les fruits de mer soient tendres.

3 Versez le jus de citron, la sauce de soja et le lait de coco. Laissez frémir 2 minutes à découvert, jusqu'à ce que la sauce commence à épaissir légèrement.

4 Assaisonnez généreusement. Dressez les feuilles de salade sur les assiettes, puis couvrez avec la préparation et la sauce. Servez avec des quartiers de citron pour arroser de jus.

Noix de Saint-Jacques épicées

Les noix de Saint-Jacques sont excellentes cuites à la vapeur. Agrémentées de cette sauce épicée, elles peuvent constituer une entrée simple mais délicieuse pour quatre personnes, ou un déjeuner léger pour deux.

INGRÉDIENTS

Pour 2 personnes

8 noix de Saint-Jacques préparées (demandez au poissonnier de réserver la partie arrondie de 4 coquilles)
2 tranches de gingembre frais coupé en julienne
1/2 gousse d'ail écrasée
les pousses de 2 ciboules coupées en julienne
sel et poivre noir du moulin

La sauce épicée

1 gousse d'ail, écrasée
1 cuil. à soupe de gingembre frais râpé
la partie blanche de 2 ciboules hachée
1 à 2 piments verts frais épépinés et finement hachés
1 cuil. à soupe de sauce de soja claire
1 cuil. à soupe de sauce de soja foncée
2 cuil. à café d'huile de sésame

1 Retirez le bord foncé et le muscle des noix de Saint-Jacques.

2 Remplissez chaque coquille avec 2 noix. Salez et poivrez légèrement, puis saupoudrez de gingembre, d'ail et de ciboule. Posez les coquilles dans un panier à vapeur, dans un wok, et faites-les cuire 6 minutes, jusqu'à ce que les noix soient opaques (procédez si besoin en plusieurs fois).

3 Pour préparer la sauce, mélangez l'ail, le gingembre, les ciboules, les piments, les sauces de soja et l'huile de sésame, puis versez dans un petit saladier.

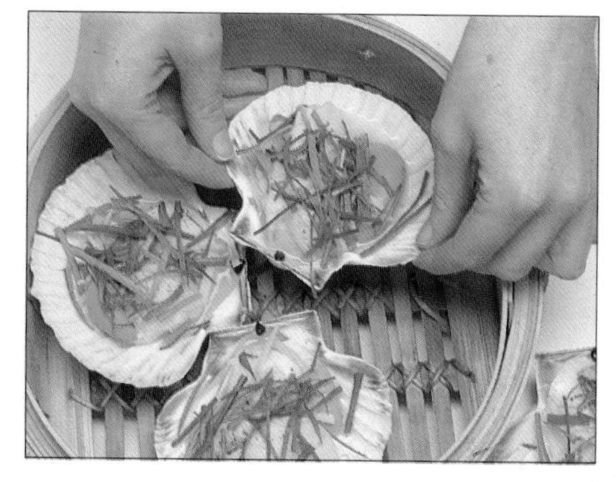

4 Sortez délicatement les coquilles du panier, en veillant à ne pas renverser le jus, et dressez sur un plat, autour du bol de sauce. Servez aussitôt.

Crevettes au piment

Cette délicate alliance épicée constitue un plat léger. Elle se complète parfaitement de riz, nouilles ou pâtes et d'une salade verte.

INGRÉDIENTS

Pour 3 à 4 personnes

2 échalotes hachées
2 gousses d'ail hachées
1 piment rouge frais haché
3 cuil. à soupe d'huile d'olive
450 g de tomates mûres pelées, épépinées et concassées
1 cuil. à soupe de coulis de tomates
1 feuille de laurier
1 branche de thym
6 cuil. à soupe de vin blanc sec
450 g de grosses crevettes cuites décortiquées
sel et poivre noir du moulin
des feuilles de basilic ciselées, pour la décoration

1 Faites revenir les échalotes, l'ail et le piment dans l'huile chaude, jusqu'à ce que l'ail commence à dorer.

2 Ajoutez les tomates, le coulis de tomates, le laurier, le thym, le vin et l'assaisonnement. Portez à ébullition, puis laissez cuire doucement pendant 10 minutes, en remuant de temps en temps, jusqu'à ce que la sauce épaississe. Jetez les herbes.

3 Incorporez les crevettes dans la sauce et laissez frémir quelques minutes. Rectifiez l'assaisonnement. Parsemez de feuilles de basilic et servez aussitôt.

CONSEIL

Retirez les graines du piment si vous désirez une saveur moins épicée.

Noix de Saint-Jacques au gingembre

Les noix de Saint-Jacques sont excellentes l'hiver, mais on peut les acheter surgelées toute l'année. Ce plat riche et crémeux est exquis et très simple à réaliser.

INGRÉDIENTS

Pour 4 personnes

8 à 12 noix de Saint-Jacques sans les coquilles
40 g de beurre
2,5 cm de gingembre frais finement haché
1 botte de ciboules émincées en diagonale
4 cuil. à soupe de vermouth blanc
25 cl de crème fraîche
sel et poivre noir moulu
du persil frais ciselé, pour la décoration

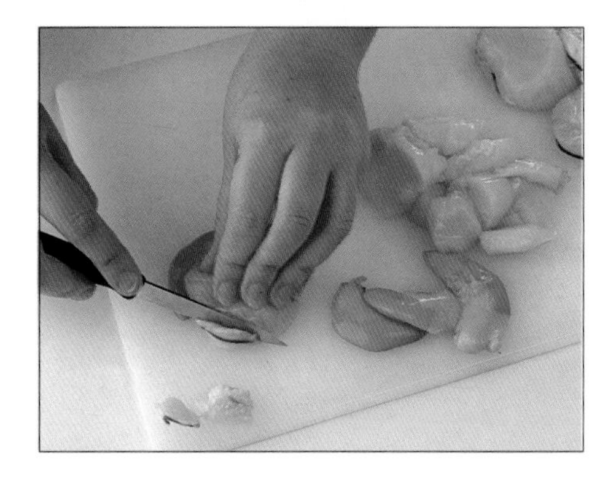

1 Retirez le muscle situé en face du corail, dans chaque noix. Détachez le corail et coupez le blanc en deux, horizontalement.

2 Dans une poêle, faites dorer les noix, avec le corail, pendant 2 minutes dans le beurre fondu. Si les noix sont trop cuites, elles durcissent.

3 Sortez les noix avec une écumoire et réservez-les sur un plat chaud.

4 Faites revenir le gingembre et les ciboules pendant 2 minutes dans la poêle. Versez le vermouth et laissez frémir jusqu'à évaporation presque totale. Ajoutez la crème fraîche et faites chauffer quelques minutes, jusqu'à ce que la sauce épaississe. Rectifiez l'assaisonnement.

5 Nappez les noix de sauce, saupoudrez de persil et servez aussitôt.

Saumon teriyaki

Dans cette préparation, le condiment croquant complète à merveille le délicieux saumon mariné, fondant dans la bouche.

INGRÉDIENTS

Pour 4 personnes

700 g de filets de saumon
2 cuil. à soupe d'huile de tournesol
du cresson, pour la décoration

La sauce teriyaki
1 cuil. à café de sucre en poudre
1 cuil. à café de vin blanc sec
1 cuil. à café de saké, de vin de riz ou de Xérès sec
2 cuil. à soupe de sauce de soja foncée

Le condiment
5 cm de gingembre frais râpé
un peu de colorant alimentaire rose (facultatif)
50 g de mooli râpé

1 Pour préparer la sauce, mélangez le sucre, le vin blanc, le saké, le vin de riz ou le Xérès sec et la sauce de soja, en remuant jusqu'à dissolution du sucre.

2 Retirez la peau du saumon avec un couteau bien affûté.

3 Détaillez le saumon en petits morceaux avant de le mettre dans un plat non métallique. Versez la sauce dessus et laissez mariner 10 à 15 minutes.

4 Pour préparer le condiment, mettez le gingembre dans un saladier et ajoutez éventuellement un peu de colorant. Incorporez le mooli.

5 Retirez le saumon de la sauce et égouttez-le.

6 Faites chauffer l'huile dans un wok préchauffé. Ajoutez le saumon en plusieurs fois et faites cuire 3 à 4 minutes, en remuant. Dressez sur les assiettes, décorez de cresson, puis servez avec le condiment.

Moules à la citronnelle et au basilic

Des herbes de la tradition culinaire thaïe parfument harmonieusement ce plat.

INGRÉDIENTS

Pour 4 personnes

2 kg de moules fraîches dans leur coquille
2 bâtons de citronnelle
5 à 6 tiges de basilic
5 cm de gingembre frais
2 échalotes finement hachées
15 cl de bouillon de poisson

1 Lavez les moules sous l'eau froide, en les grattant avec un couteau. Retirez le byssus. Jetez les moules à la coquille cassée et celles qui restent ouvertes quand on tape dessus.

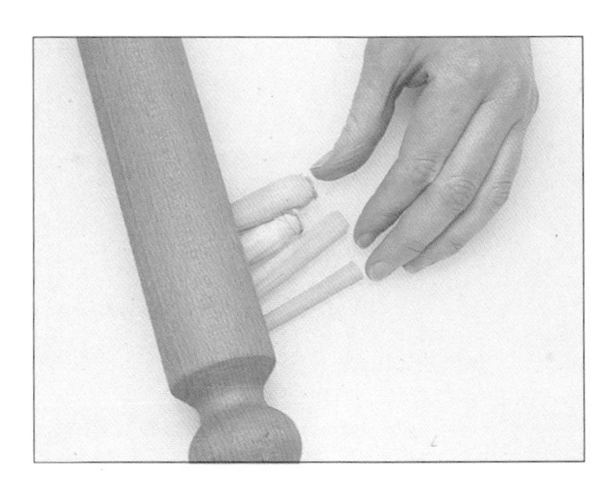

2 Coupez les bâtons de citronnelle en deux avant de les écraser avec un rouleau à pâtisserie.

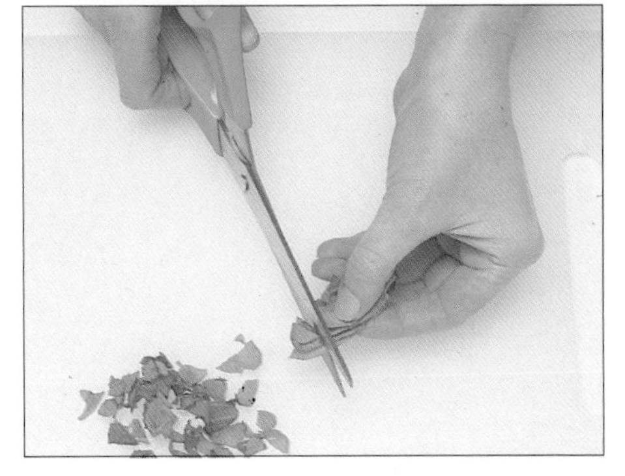

3 Séparez les feuilles de basilic des tiges, puis ciselez grossièrement la moitié. Réservez le reste.

4 Mélangez les moules, la citronnelle, le basilic, le gingembre, les échalotes et le bouillon dans un wok. Portez à ébullition, couvrez et laissez frémir 5 minutes. Jetez la citronnelle et les moules qui restent fermées, saupoudrez du reste de basilic et servez aussitôt.

Crabe aux oignons et au gingembre

Cette recette simple en dépit des apparences sera un régal pour les yeux comme pour les papilles.

INGRÉDIENTS

Pour 4 personnes

1 gros crabe ou 2 moyens, d'environ 700 g au total
2 cuil. à soupe de vin de riz chinois ou de Xérès sec
1 œuf légèrement battu
1 cuil. à soupe de Maïzena
1 cuil. à soupe de gingembre frais finement haché
3 à 4 ciboules détaillées en petites sections
3 à 4 cuil. à soupe d'huile végétale
2 cuil. à soupe de sauce de soja
1 cuil. à café de sucre roux
environ 5 cuil. à soupe de bouillon clair *(voir p. 16)*
quelques gouttes d'huile de sésame

1 Sectionnez le crabe en deux par le dessous de la carapace. Détachez les grosses pinces et cassez-les avec le dos d'un hachoir. Ôtez les pattes, puis brisez la carapace en plusieurs morceaux. Jetez la poche abdominale en forme de sac et les appendices. Mettez les morceaux de crabe dans un saladier.

2 Mélangez le vin de riz ou le Xérès sec, l'œuf et la Maïzena. Versez sur le crabe et laissez mariner 10 à 15 minutes.

3 Dans un wok préchauffé, faites revenir les morceaux de crabe, le gingembre et les ciboules pendant 2 à 3 minutes dans l'huile chaude.

4 Versez la sauce de soja, le sucre, le bouillon, puis mélangez intimement. Portez à ébullition, réduisez le feu, couvrez et laissez frémir 3 à 4 minutes. Dressez sur un plat de service, arrosez d'huile de sésame et servez.

CONSEIL

Ce plat sera plus savoureux avec un crabe vivant que vous ferez cuire vous-même. Si vous préférez toutefois acheter un crabe cuit, choisissez-le lourd pour sa taille, afin d'être sûr qu'il est bien plein. Les mâles ont des pinces plus grosses et contiennent davantage de chair. Mais les femelles, identifiables par leur queue plus large, renferment du corail que certaines personnes apprécient beaucoup.

Moules aux herbes thaïes

Dans cette recette d'une grande simplicité, la citronnelle relève les moules de sa saveur rafraîchissante.

INGRÉDIENTS

Pour 4 à 6 personnes

1 kg de moules nettoyées
2 bâtons de citronnelle finement hachés
4 échalotes hachées
4 feuilles de lime grossièrement ciselées
2 piments rouges émincés
1 cuil. à soupe de sauce de poisson
2 cuil. à soupe de jus de citron vert
2 ciboules hachées, et quelques feuilles de coriandre, pour la décoration

1 Réunissez tous les ingrédients, sauf les ciboules et la coriandre, dans une cocotte, puis mélangez délicatement.

2 Couvrez et laissez frémir 5 à 7 minutes, en secouant la cocotte de temps en temps, jusqu'à ce que les moules s'ouvrent. Jetez celles qui restent fermées.

3 Dressez les moules sur un plat de service.

4 Décorez de ciboule et de coriandre avant de servir.

Curry d'ananas aux crevettes et aux moules

Dans ce curry d'ananas, les saveurs aigres-douces créent une association insolite et raffinée, à condition de choisir des coquillages d'une grande fraîcheur.

INGRÉDIENTS

Pour 4 à 6 personnes

60 cl de lait de coco
2 cuil. à soupe de pâte de curry rouge
2 cuil. à soupe de sauce de poisson *(nuoc-mâm)*
1 cuil. à soupe de sucre
225 g de grosses crevettes décortiquées et sans les veines
450 g de moules nettoyées
175 g d'ananas frais finement écrasé ou haché
5 feuilles de lime ciselées
2 piments rouges hachés, et quelques feuilles de coriandre, pour la décoration

1 Portez à ébullition la moitié du lait de coco dans une cocotte, puis remuez jusqu'à ce qu'il se sépare.

2 Ajoutez la pâte de curry et laissez cuire afin qu'elle devienne odorante. Incorporez la sauce de poisson, le sucre, et cuisez encore quelques secondes.

3 Versez le reste de lait de coco et portez à ébullition. Mélangez les crevettes, les moules, l'ananas et les feuilles de lime.

4 Laissez frémir 3 à 5 minutes, jusqu'à ce que les moules s'ouvrent. Jetez celles qui restent fermées. Servez, décoré de piment et de coriandre.

Curry de crevettes au lait de coco

Dans cette préparation, les crevettes cuisent dans une sauce épicée à la noix de coco.

INGRÉDIENTS

Pour 4 à 6 personnes

60 cl de lait de coco
2 cuil. à soupe de pâte de curry jaune *(voir Conseil ci-contre)*
1 cuil. à soupe de sauce de poisson
1/2 cuil. à café de sel
1 cuil. à café de sucre
450 g de grosses crevettes décortiquées, avec la queue et sans les veines
225 g de tomates cerise
le jus d'1/2 citron vert
2 piments rouges coupés en julienne, et quelques feuilles de coriandre, pour la décoration

1 Faites bouillir la moitié du lait de coco dans une cocotte ou un wok.

2 Mélangez la pâte de curry, puis laissez frémir 10 minutes.

3 Ajoutez la sauce de poisson, le sel, le sucre et le reste de lait. Faites chauffer 5 minutes à feu doux.

4 Incorporez les crevettes et les tomates cerise. Poursuivez la cuisson pendant 5 minutes, jusqu'à ce que les crevettes soient roses et tendres.

5 Servez arrosé de jus de citron, décoré de piment et de coriandre.

CONSEIL

Pour préparer la pâte de curry jaune, mixez 6 à 8 piments jaunes, 1 bâton de citronnelle haché, 4 échalotes pelées, 4 gousses d'ail, 1 cuillerée à soupe de gingembre frais, pelé et haché, 1 cuillerée à café de graines de coriandre, 1 cuillerée à café de poudre de moutarde, 1 cuillerée à café de sel, 1/2 cuillerée à café de cannelle en poudre, 1 cuillerée à soupe de sucre roux et 2 cuillerées à soupe d'huile. Mettez la pâte dans un bocal en verre et gardez au réfrigérateur.

Homard aux haricots noirs

Dans cette recette, le homard mijote doucement dans une sauce délicatement épicée.

INGRÉDIENTS

Pour 4 à 6 personnes

1 gros homard ou 2 moyens d'environ 800 g au total
huile végétale, pour la friture
1 gousse d'ail finement hachée
1 cuil. à café de gingembre frais, finement haché
2 à 3 ciboules hachées
2 cuil. à soupe de sauce de haricots noirs
2 cuil. à soupe de vin de riz chinois ou de Xérès sec
12 cl de bouillon clair *(voir p. 16)*
des feuilles de coriandre fraîche, pour la décoration

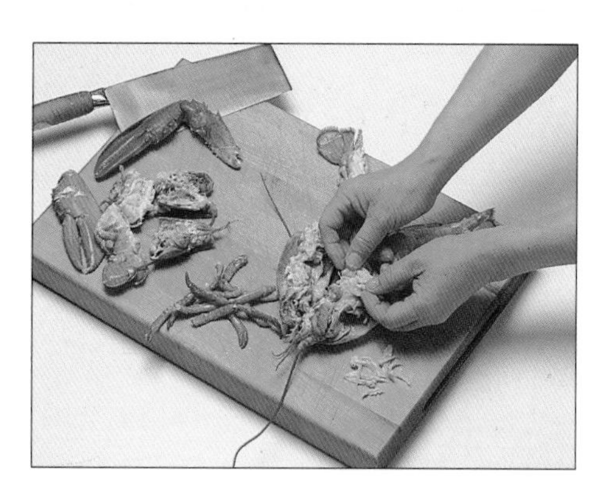

1 Coupez le homard en deux dans la longueur à partir de la tête. Jetez les pattes, détachez les pinces et cassez-les avec le dos d'un hachoir. Jetez également les poumons et les intestins. Détaillez chaque moitié en 4 à 5 morceaux.

2 Dans un wok préchauffé avec de l'huile, faites revenir les morceaux de homard 2 minutes, afin que la carapace prenne une couleur orangée. Posez les morceaux sur du papier absorbant.

3 Gardez 1 cuillerée d'huile et jetez le reste. Ajoutez dans le wok l'ail, le gingembre, les ciboules, la sauce de haricots, puis remuez pendant 1 minute.

4 Incorporez le homard et mélangez délicatement. Versez le vin de riz ou le Xérès sec et le bouillon, portez à ébullition et laissez frémir 2 à 3 minutes à couvert. Décorez de feuilles de coriandre et servez.

CONSEIL

Achetez de préférence des homards vivants que vous ferez cuire vous-même. Sinon, ils sont généralement trop cuits et ils manquent de saveur et de texture.

Curry de crevettes aux œufs de cailles

Cette prestigieuse recette indonésienne mêle un choix de saveurs raffinées – *galanga,* piments, curcuma, lait de coco.

INGRÉDIENTS

Pour 4 personnes

12 œufs de caille
4 échalotes ou 1 oignon moyen finement hachés
2,5 cm de *galanga* ou de gingembre frais hachés
2 gousses d'ail écrasées
2 cuil. à soupe d'huile végétale
5 cm de citronnelle coupée en julienne
2 petits piments rouges frais épépinés et finement hachés
1/2 cuil. à café de curcuma en poudre
1 cm de pâte de crevettes ou 1 cuil. à soupe de sauce de poisson
900 g de crevettes crues décortiquées, avec la queue et sans les veines
40 cl de lait de coco
30 cl de bouillon de volaille
115 g de feuilles de chou chinois coupées en julienne
2 cuil. à café de sucre
sel
les pousses de 2 ciboules coupées en julienne, et 2 cuil. à soupe de noix de coco fraîche en copeaux, pour la décoration

1 Mettez les œufs de caille dans une casserole, couvrez d'eau et laissez bouillir 8 minutes. Faites-les refroidir sous l'eau froide, retirez la coquille, puis réservez.

2 Dans un wok préchauffé, faites revenir les échalotes ou l'oignon, le *galanga* ou le gingembre et l'ail pendant 1 minute dans l'huile chaude, jusqu'à ce qu'ils soient tendres mais non colorés. Ajoutez la citronnelle, les piments, le curcuma, la pâte de crevettes ou la sauce de poisson, et remuez pendant 1 minute.

3 Incorporez les crevettes et mélangez encore 1 minute. Filtrez le lait de coco, puis versez le liquide dans le wok, avec le bouillon de volaille. Ajoutez le chou chinois, le sucre, salez. Portez à ébullition, puis laissez frémir 6 à 8 minutes.

4 Dressez le curry sur un plat de service. Coupez les œufs de caille en deux et mélangez-les à la sauce. Saupoudrez de ciboule et de noix de coco avant de servir.

CONSEIL

Les œufs de caille se vendent dans les épiceries fines et chez les traiteurs. Vous pouvez les remplacer par des œufs de poule – 1 œuf de poule équivalant à 4 œufs de caille.

Cassolette de coquillages au basilic

À base de piments verts, la pâte de curry verte constitue un ingrédient de base de la cuisine thaïe. Elle accompagne nombre de plats et se conserve trois semaines au réfrigérateur. On peut l'acheter toute prête, mais elle est toujours meilleure fabriquée à la maison.

INGRÉDIENTS

Pour 4 à 6 personnes

450 g de moules dans leur coquille
4 cuil. à soupe d'eau
225 g de seiche ou de calmar
40 cl de lait de coco
30 cl de bouillon de volaille ou de légumes
375 g de lotte ou de dorade sans la peau
150 g de crevettes décortiquées, crues ou cuites, sans les veines
4 noix de Saint-Jacques émincées
75 g de haricots verts épluchés et cuits
50 g de pousses de bambou en boîte, égouttées
1 tomate pelée, épépinée et grossièrement concassée
4 branches de basilic ciselé, pour la décoration
du riz cuit à l'eau, pour le service

La pâte de curry verte

2 cuil. à café de graines de coriandre
1/2 cuil. à café de graines de cumin ou de carvi
3 à 4 piments verts frais moyens, finement hachés
4 cuil. à café de sucre
2 cuil. à café de sel
7,5 cm de citronnelle
2 cm de *galanga* ou de gingembre frais pelé et finement haché
3 gousses d'ail écrasées
4 échalotes ou 1 oignon moyen finement hachés
2 cm de pâte de crevettes
50 g de feuilles de coriandre fraîche finement ciselées
3 cuil. à soupe de basilic frais finement ciselé
1/2 cuil. à café de noix de muscade râpée
2 cuil. à soupe d'huile végétale

1 Grattez les moules sous l'eau courante et retirez le byssus. Jetez celles qui restent ouvertes lorsque vous tapez dessus. Faites cuire les moules dans une casserole d'eau à couvert, pendant 6 à 8 minutes. Éliminez celles qui restent fermées, et retirez trois quarts des moules de leur coquille. Réservez. Filtrez le liquide de cuisson et réservez.

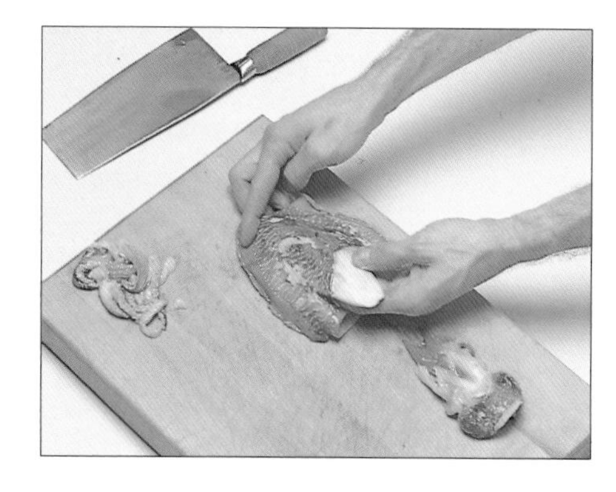

2 Coupez les tentacules et jetez les entrailles de la seiche ou du calmar. Sortez l'os de la seiche ou la plume du calmar, et détachez la peau. Ouvrez le corps, puis entaillez en forme de croisillons avec un couteau pointu. Détaillez en lanières et réservez.

3 Pour la pâte de curry verte, faites revenir les graines de coriandre et de cumin ou de carvi dans un wok non graissé. Broyez les piments avec le sucre et le sel dans un mixer. Ajoutez les graines de coriandre et de cumin ou de carvi, la citronnelle, le *galanga* ou le gingembre, l'ail et les échalotes ou l'oignon, puis écrasez. Incorporez la pâte de crevettes, la coriandre, le basilic, la noix de muscade, l'huile, et mélangez.

4 Filtrez le lait de coco, puis versez le liquide dans un wok avec le bouillon de volaille ou de légumes et le jus de cuisson des moules. Réservez la partie solide du lait de coco. Ajoutez 4 à 5 cuillerées à soupe de pâte de curry dans le wok et portez le mélange à ébullition. Faites bouillir rapidement quelques minutes, jusqu'à ce que le liquide réduise complètement.

5 Incorporez la partie solide du lait de coco, puis la seiche ou le calmar, ainsi que le poisson. Laissez frémir 15 à 20 minutes. Mélangez ensuite les crevettes, les noix de Saint-Jacques, les moules, les haricots, les pousses de bambou et la tomate. Faites chauffer 2 à 3 minutes à feu doux. Dressez sur un plat chaud, décorez de feuilles de basilic et servez aussitôt avec le riz.

Beignets de poisson, crevettes et légumes

Voici une recette de tempura, l'un des quelques mets japonais d'origine occidentale. Elle a été inventée par les missionnaires espagnols et portugais qui se sont installés dans le sud du Japon à la fin du XVIe siècle.

INGRÉDIENTS

Pour 4 à 6 personnes

1 feuille de nori
8 grosses crevettes crues sans la tête
175 g de filets de lotte ou de merlan détaillés en bâtonnets
1 petite aubergine
4 ciboules parées
6 champignons shiitake frais
huile végétale, pour la friture
1 cuil. à soupe de farine
sel fin
5 cuil. à soupe de sauce de soja ou de tamarin, pour le service

La pâte à beignets

2 jaunes d'œufs
30 cl d'eau glacée
225 g de farine
1/2 cuil. à café de sel

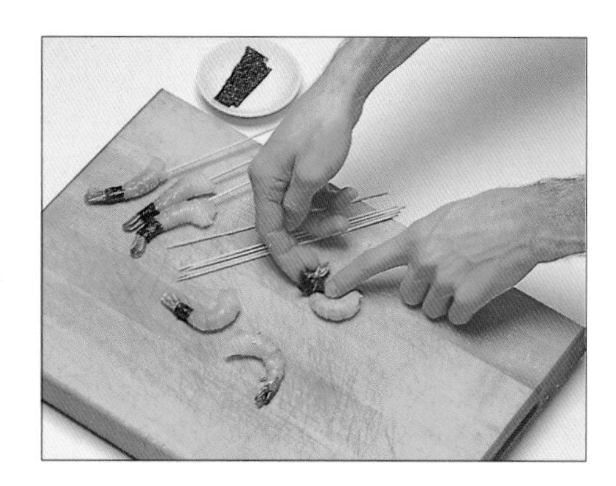

1 Détaillez la feuille de nori en bandes de 1 cm de large et 5 cm de long. Mouillez une extrémité de chaque bande avec de l'eau et enroulez-la autour de la queue de chaque crevette. Enfilez les crevettes dans leur longueur sur des brochettes pour les maintenir droites. Enfilez aussi les morceaux de poisson et réservez.

2 Coupez l'aubergine en rondelles. Saupoudrez-la de sel et disposez-la en couches sur un plat. Appuyez légèrement avec la main pour extraire les sucs amers, puis laissez-la dégorger 20 à 30 minutes. Rincez soigneusement l'aubergine sous l'eau froide, essuyez-la bien et enfilez-la sur des brochettes. Enfilez également les ciboules et les champignons sur des brochettes.

3 Préparez la pâte au dernier moment. Fouettez les jaunes d'œufs avec la moitié de l'eau glacée. Ajoutez la farine, le sel, et remuez légèrement. Versez le reste d'eau et mélangez grossièrement pour obtenir une pâte lisse.

4 Chauffez l'huile à 180 °C dans un wok équipé d'une grille pour égoutter les aliments. Farinez les légumes et le poisson (pas plus de 3 à la fois). Plongez dans la pâte, puis faites frire 1 à 2 minutes, jusqu'à ce que les beignets soient dorés et croustillants. Égouttez, salez et posez sur du papier absorbant. Servez avec de la sauce de soja ou de tamarin.

Satay de crevettes

La marinade épicée, à base de noix de coco, rehausse parfaitement les crevettes de ce *sate udang*. Elle peut aussi se marier avec des morceaux de lotte ou de flétan, cuits de la même manière.

INGRÉDIENTS

Pour 4 brochettes

12 grosses crevettes crues

La marinade

1 cube de 5 mm de *terasi*
1 gousse d'ail, écrasée
1 bâton de citronnelle émincé à la base sur 6 cm (réservez le haut)
6 à 8 amandes
1/2 cuil. à café de poudre de piment
sel
huile de friture
12 cl de lait de coco
1/2 cuil. à café de pulpe de tamarin, trempée dans 2 cuil. à soupe d'eau, puis filtrée (réservez le jus)
de la sauce de cacahuètes, quelques dés de concombre (facultatif) et des quartiers de citron, pour le service

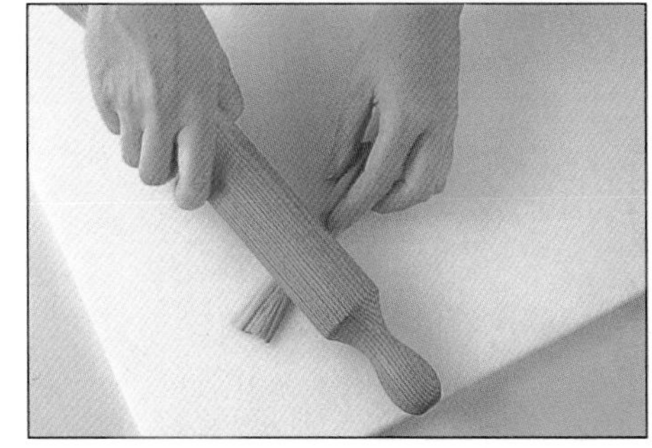

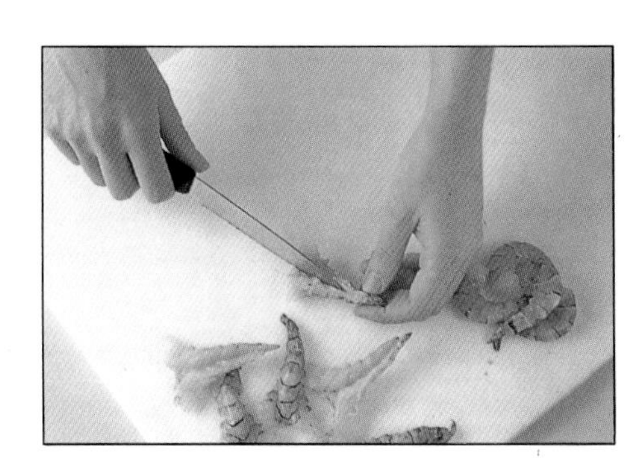

1 Coupez la tête des crevettes, puis décortiquez-les. Incisez le dessous de chaque crevette avec un couteau pointu, sans la séparer complètement en deux, et ouvrez-la comme un livre. Enfilez 3 crevettes sur chaque brochette.

2 Pour préparer la marinade, broyez le *terasi,* l'ail, la citronnelle, les amandes, la poudre de piment et un peu de sel dans un mixer ou avec un mortier et un pilon.

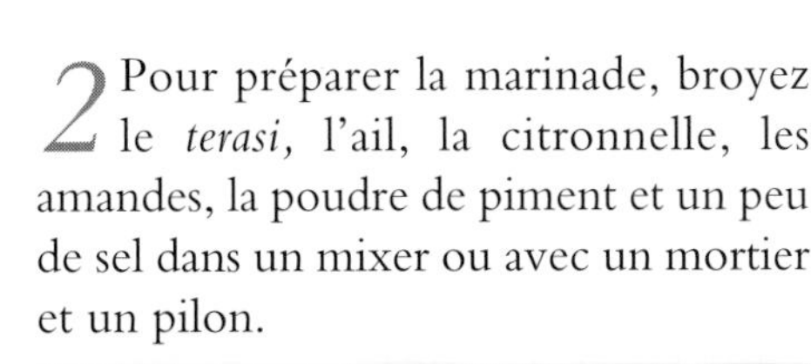

3 Faites frire cette préparation dans l'huile. Versez le lait de coco et le jus de tamarin, laissez frémir 1 minute. Nappez-en les crevettes et laissez 1 heure.

4 Faites cuire les crevettes 3 minutes sous le gril chaud ou sur le barbecue. Écrasez le haut du bâton de citronnelle avec l'extrémité d'un rouleau à pâtisserie, en forme de brosse, et utilisez-le pour enrober les crevettes de marinade pendant la cuisson.

5 Présentez sur un plat, avec la sauce de cacahuètes, le concombre et les quartiers de citron.

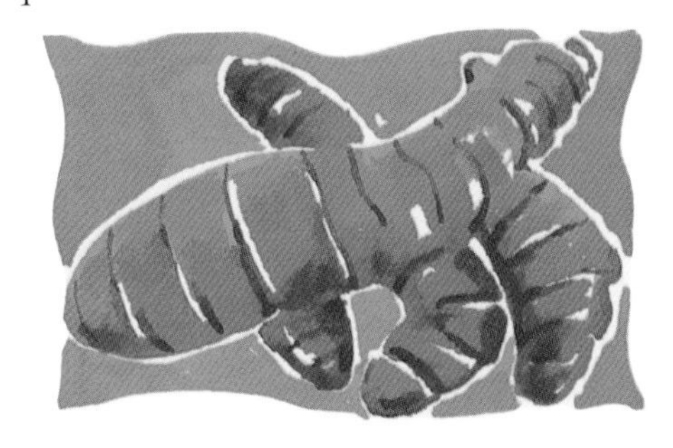

Crevettes à la chayote et au curcuma

Ce mets succulent et séduisant s'appelle *gule udang dengan labu kuning*.

INGRÉDIENTS

Pour 4 personnes

1 à 2 chayotes ou 2 à 3 courgettes
2 piments rouges frais épépinés
1 oignon coupé en quatre
5 mm de *lengkwas* frais pelé
1 tige de citronnelle émincée sur les 5 cm inférieurs (écrasez le haut)
2,5 cm de curcuma frais pelé
20 cl d'eau
le jus d'1 citron
40 cl de lait de coco en boîte
450 g de crevettes cuites décortiquées
sel
quelques anneaux de piment rouge, pour la décoration (facultatif)
du riz cuit à l'eau, pour le service

1 Pelez les chayotes, dénoyautez-les et coupez-les en tranches. Si vous utilisez des courgettes, détaillez-les en lanières de 5 cm de long.

2 Broyez les piments, l'oignon, le *lengkwas,* la citronnelle et le curcuma sous forme de pâte dans un mixer ou avec un mortier et un pilon. Mouillez d'eau, d'un trait de citron, et salez.

3 Versez dans une casserole. Ajoutez le haut de la tige de citronnelle. Portez à ébullition et cuisez 1 à 2 minutes. Incorporez la chayote ou la courgette et laissez cuire 2 minutes. Versez le lait de coco et rectifiez l'assaisonnement.

4 Mélangez les crevettes et faites cuire 2 à 3 minutes à feu doux. Retirez la citronnelle. Décorez de piment avant de servir avec du riz.

Doedoeh de poisson

Des filets de haddock ou de cabillaud peuvent remplacer le maquereau.

INGRÉDIENTS

Pour 6 à 8 personnes

1 kg de filets de maquereaux frais sans la peau
2 cuil. à soupe de pulpe de tamarin, trempée dans 20 cl d'eau
1 oignon
1 cm de *lengkwas* frais
2 gousses d'ail
1 à 2 piments rouges frais épépinés ou 1 cuil. à café de poudre de piment
1 cuil. à café de coriandre en poudre
1 cuil. à café de curcuma en poudre
1/2 cuil. à café de graines de fenouil en poudre
1 cuil. à soupe de sucre roux
6 à 7 cuil. à soupe d'huile
20 cl de crème de coco
sel et poivre noir du moulin
des lanières de piment frais, pour la décoration

1 Rincez les filets de poisson, puis essuyez-les avec du papier absorbant. Mettez-les dans un plat et salez. Filtrez le tamarin et versez le jus sur le poisson. Laissez reposer 30 minutes.

2 Coupez l'oignon en quatre, pelez et émincez le *lengkwas,* pelez l'ail. Broyez l'oignon, le *lengkwas,* l'ail, les piments ou la poudre de piment jusqu'à obtention d'une pâte, dans un mixer ou avec un mortier et un pilon. Ajoutez la coriandre, le curcuma, les graines de fenouil et le sucre.

3 Faites chauffer la moitié de l'huile dans une poêle. Égouttez le poisson et laissez-le frire 5 minutes. Réservez.

4 Essuyez la poêle pour chauffer le reste d'huile. Faites frire la pâte d'épices, en remuant, jusqu'à ce qu'elle devienne odorante, sans laisser dorer. Ajoutez la crème de coco et laissez frémir quelques minutes. Incorporez le poisson et faites chauffer doucement.

5 Rectifiez l'assaisonnement et servez, décoré de lanières de piment.

Crevettes rouges et blanches aux légumes verts

Ce mets s'appelle en chinois crevettes *yuan yang*, sans doute d'après le terme qui désigne les couples de canards mandarins et qui signifie « oiseaux d'amour » parce qu'ils ne se séparent jamais. Ils symbolisent l'affection et le bonheur.

INGRÉDIENTS

Pour 4 à 6 personnes

450 g de crevettes crues
1/2 blanc d'œuf
1 cuil. à soupe de pâte de Maïzena
175 g de pois mange-tout
environ 60 cl d'huile végétale
1 cuil. à café de sucre roux
1 cuil. à soupe de ciboule finement hachée
1 cuil. à café de gingembre frais finement haché
1 cuil. à soupe de sauce de soja claire
1 cuil. à soupe de vin de riz chinois ou de Xérès sec
1 cuil. à café de sauce de haricots pimentée
1 cuil. à soupe de concentré de tomates
sel

1 Décortiquez les crevettes et ôtez les veines avant de mélanger avec le blanc d'œuf, la pâte de Maïzena et une pincée de sel. Épluchez les pois mange-tout.

2 Dans un wok préchauffé, faites revenir les mange-tout pendant 1 minute dans 2 à 3 cuillerées à soupe d'huile chaude. Ajoutez le sucre, un peu de sel, puis continuez à remuer pendant 1 minute. Dressez au centre d'un plat chaud.

3 Versez le reste d'huile dans le wok et faites cuire les crevettes pendant 1 minute. Égouttez-les.

4 Videz l'huile, à l'exception d'1 cuillerée à soupe. Ajoutez la ciboule et le gingembre dans le wok.

5 Faites revenir les crevettes dans le wok pendant 1 minute, puis versez la sauce de soja et le vin de riz ou le Xérès sec. Mélangez intimement. Dressez la moitié des crevettes à une extrémité du plat.

6 Incorporez la sauce de haricots et le concentré de tomates au reste de crevettes, dans le wok. Remuez bien, puis posez les crevettes « rouges » à l'autre extrémité du plat, et servez.

CONSEIL

Les crevettes crues ont un intestin situé au niveau de la courbe extérieure de la queue. Non toxique, il peut cependant avoir un goût désagréable, c'est pourquoi il est conseillé de le retirer. Cette opération s'appelle ôter les veines. Décortiquez les crevettes, en laissant la queue intacte. Incisez légèrement les crevettes sur la longueur pour laisser apparaître l'intestin. Retirez avec un petit couteau ou un hachoir chinois.

Calmars farcis à la vietnamienne

Plus les calmars seront petits, plus ce plat sera réussi. Veillez à ne pas trop les cuire car ils durcissent rapidement.

INGRÉDIENTS

Pour 4 personnes

8 petits calmars
50 g de nouilles cellophane
2 ciboules finement hachées
8 champignons shiitake
(coupez les gros en deux)
250 g de porc haché
1 gousse d'ail hachée
2 cuil. à soupe d'huile d'arachide
2 cuil. à soupe de sauce de poisson
1 cuil. à café de sucre en poudre
1 cuil. à soupe de coriandre fraîche
finement hachée
1 cuil. à café de jus de citron
sel et poivre noir du moulin

1 Coupez les tentacules des calmars juste en dessous des yeux. Retirez la plume transparente à l'intérieur du corps ainsi que la peau. Lavez les calmars soigneusement dans l'eau froide, puis réservez.

2 Plongez les nouilles dans une casserole d'eau bouillante. Retirez du feu et laissez tremper 20 minutes.

3 Dans un wok préchauffé, faites revenir les ciboules, les champignons, le porc et l'ail pendant 4 minutes dans 1 cuillerée à soupe d'huile chaude, jusqu'à ce que la viande soit dorée.

4 Égouttez les nouilles avant d'incorporer dans le wok, avec la sauce de poisson, le sucre, la coriandre, le jus de citron, le sel et le poivre.

5 Garnissez l'intérieur des calmars de cette préparation et maintenez avec des bâtonnets de bois. Dressez les calmars dans un plat à four, arrosez du reste d'huile et piquez plusieurs fois. Faites cuire 10 minutes dans le four préchauffé à 200 °C/thermostat 6. Servez chaud.

Calmars frits au cinq-épices

Les calmars sont bien préparés dans le wok car ils ne doivent pas cuire longtemps. La sauce épicée les enrichit à merveille.

INGRÉDIENTS

Pour 6 personnes

450 g de petits calmars nettoyés
3 cuil. à soupe d'huile
2,5 cm de gingembre frais râpé
1 gousse d'ail écrasée
8 ciboules coupées dans la diagonale en sections de 2,5 cm de long
1 poivron rouge épépiné et détaillé en lanières
1 piment vert frais épépiné et finement émincé
6 champignons émincés
1 cuil. à café de cinq-épices
2 cuil. à soupe de sauce de haricots noirs
2 cuil. à soupe de sauce de soja
1 cuil. à café de sucre
1 cuil. à soupe de vin de riz chinois ou de Xérès sec

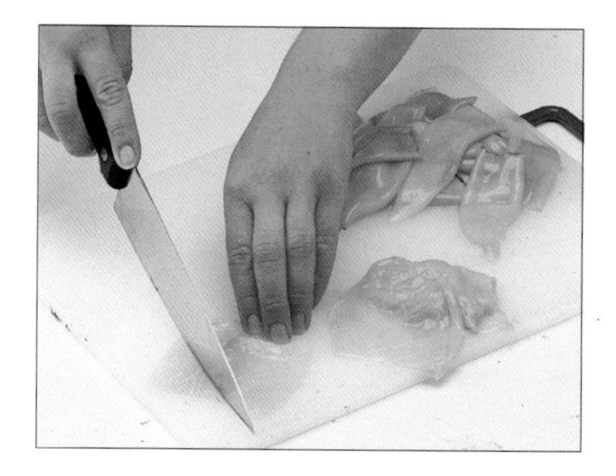

1 Rincez les calmars et retirez la peau. Posez-les sur du papier absorbant. Ouvrez-les avec un couteau aiguisé, entaillez l'intérieur en forme de croisillons, puis découpez en lanières.

2 Dans un wok préchauffé, faites revenir rapidement les calmars dans l'huile chaude. Retirez avec une écumoire et réservez. Ajoutez le gingembre, l'ail, les ciboules, le poivron rouge, le piment, les champignons dans le reste d'huile, et remuez pendant 2 minutes.

3 Remettez les calmars dans le wok et ajoutez le cinq-épices. Incorporez la sauce de haricots noirs, la sauce de soja, le sucre, le vin de riz ou le Xérès sec. Portez à ébullition et remuez pendant 1 minute. Servez aussitôt.

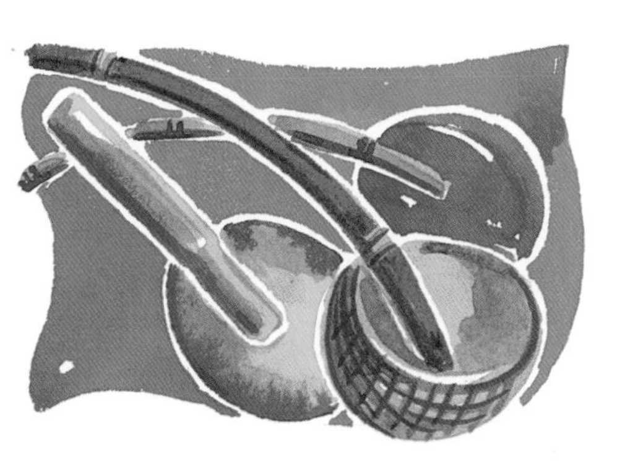

Marmite de calmars au piment et aux nouilles

INGRÉDIENTS

Pour 4 personnes

675 g de calmars frais
3 tranches de gingembre frais détaillé en julienne
2 gousses d'ail finement hachées
1 oignon rouge finement émincé
2 cuil. à soupe d'huile végétale
1 carotte coupée en minces rondelles
1 branche de céleri émincée dans la diagonale
50 g de pois gourmands épluchés
1 cuil. à café de sucre
1 cuil. à soupe de pâte de haricots pimentée
1/2 cuil. à café de poudre de piment
75 g de nouilles cellophane, ramollies après avoir trempé dans de l'eau chaude
12 cl de bouillon de volaille ou d'eau
1 cuil. à soupe de sauce de soja
1 cuil. à soupe de sauce d'huître
1 cuil. à café d'huile de sésame
1 pincée de sel
des feuilles de coriandre, pour la décoration

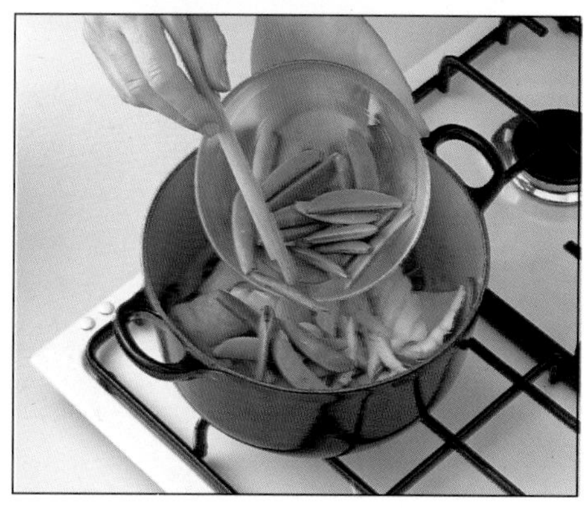

1 Pour préparer les calmars, détachez la tête et les tentacules en tenant le corps d'une main et en tirant doucement. Jetez la tête et réservez les tentacules. Ôtez la plume transparente à l'intérieur du corps, retirez la peau foncée à l'extérieur. Frottez l'intérieur de sel et lavez soigneusement sous l'eau froide. Détaillez le corps en anneaux, ou bien ouvrez les calmars dans la longueur, incisez l'intérieur en forme de croisillons et coupez en morceaux de 5 x 4 cm.

2 Dans une cocotte, faites revenir le gingembre, l'ail et l'oignon pendant 1 à 2 minutes dans l'huile chaude. Ajoutez les calmars, la carotte, le céleri, les pois gourmands, et laissez frire jusqu'à ce que les calmars se recroquevillent. Salez, incorporez le sucre, puis la pâte de haricots et la poudre de piment. Réservez la préparation dans un saladier.

3 Égouttez les nouilles avant de les mettre dans la cocotte. Versez le bouillon ou l'eau, la sauce de soja et la sauce d'huître. Couvrez et laissez cuire 10 minutes à feu moyen, jusqu'à ce que les nouilles soient tendres.

4 Incorporez les calmars et les légumes dans la cocotte. Poursuivez la cuisson pendant 5 à 6 minutes à couvert pour que les parfums se mélangent. Rectifiez l'assaisonnement.

5 Arrosez d'huile de sésame et saupoudrez de feuilles de coriandre juste avant de servir.

CONSEIL

Ces nouilles offrent une texture lisse et légère qui s'imprègne des saveurs des autres ingrédients. Vous pouvez varier le choix des légumes en fonction de ce dont vous disposez.

Calmars à la sauce de haricots noirs

Ce mets d'origine cantonaise peut constituer un plat unique aussi délicieux que séduisant à l'œil.

INGRÉDIENTS

Pour 4 personnes

400 g de calmars
1 poivron vert moyen évidé et épépiné
3 à 4 cuil. à soupe d'huile végétale
1 gousse d'ail finement hachée
1/2 cuil. à café de gingembre frais finement haché
1 cuil. à soupe de ciboule finement hachée
1 cuil. à café de sel
1 cuil. à soupe de sauce de haricots noirs
1 cuil. à soupe de vin de riz chinois ou de Xérès sec
quelques gouttes d'huile de sésame

1 Pour préparer les calmars, coupez les tentacules juste en dessous des yeux. Retirez la plume transparente à l'intérieur du corps. Enlevez et jetez la peau, puis lavez les calmars et essuyez-les soigneusement. Ouvrez et incisez l'intérieur en forme de croisillons.

2 Coupez les calmars en morceaux rectangulaires. Ébouillantez-les quelques secondes dans une casserole, puis égouttez-les. Essuyez-les soigneusement.

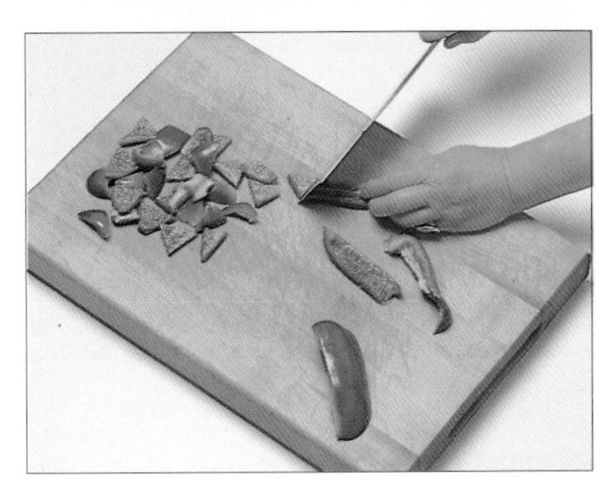

3 Coupez le poivron en petits morceaux triangulaires. Dans un wok préchauffé, faites-le revenir 1 minute dans l'huile chaude.

4 Ajoutez les calmars, l'ail, le gingembre, la ciboule, le sel, et remuez pendant 1 minute. Incorporez la sauce de haricots, le vin de riz ou le Xérès et l'huile de sésame juste avant de servir.

Les Viandes

Currys de bœuf nourrissants, steaks rapides à préparer, spécialités d'agneau parfumées, sans oublier le porc à la sauce aigre-douce – le répertoire culinaire asiatique offre une large gamme de préparations de viandes, pour tous les goûts et tous les budgets. Les recettes proposées dans ce chapitre comprennent des plats familiaux peu onéreux et faciles à préparer, comme le Bœuf braisé à la sauce de cacahuètes *ou la* Fricassée de porc aux légumes, *ainsi que des mets élaborés et originaux telles la* Fondue japonaise au bœuf et aux légumes *ou les* Nouilles braisées à l'agneau.

Bœuf sauté au poivron à la mode de Pékin

Rapide et facile, cette délicieuse préparation dans le wok est tout indiquée lorsque vous manquez de temps.

INGRÉDIENTS

Pour 4 personnes

350 g de rumsteck détaillé en lanières
2 cuil. à soupe de sauce de soja
2 cuil. à soupe de Xérès
1 cuil. à soupe de Maïzena
1 cuil. à café de sucre roux
1 cuil. à soupe d'huile de tournesol
1 cuil. à soupe d'huile de sésame
1 gousse d'ail finement hachée
1 cuil. à soupe de gingembre frais râpé
1 poivron rouge épépiné et émincé
1 poivron jaune épépiné et émincé
115 g de pois gourmands
4 ciboules coupées en sections de 5 cm de long
2 cuil. à soupe de sauce d'huître
4 cuil. à soupe d'eau
des nouilles cuites, pour le service

1 Mélangez dans un saladier le bœuf, le Xérès, la Maïzena, la sauce de soja et le sucre roux. Couvrez et laissez mariner 30 minutes.

2 Faites chauffer l'huile de tournesol et l'huile de sésame dans un wok préchauffé. Ajoutez l'ail, le gingembre, et remuez 30 secondes. Incorporez les poivrons, les pois gourmands et les ciboules, puis faites frire 3 minutes.

3 Mélangez le bœuf avec la marinade avant de poursuivre la cuisson pendant 3 à 4 minutes. Versez la sauce d'huître, l'eau, et remuez jusqu'à ce que la sauce épaississe légèrement. Servez aussitôt avec les nouilles cuites.

Émincé de bœuf aux brocolis

Accompagné de nouilles ou de riz, ce bœuf épicé composera un repas chinois rapide et diététique.

INGRÉDIENTS

Pour 4 personnes

350 g de rumsteck
1 cuil. à soupe de Maïzena
1 cuil. à café d'huile de sésame
350 g de brocolis en petits bouquets
4 ciboules émincées dans la diagonale
1 carotte coupée en julienne
1 gousse d'ail écrasée
2,5 cm de gingembre frais détaillé en julienne
12 cl de bouillon de bœuf
2 cuil. à soupe de sauce de soja
2 cuil. à soupe de Xérès sec
2 cuil. à café de sucre roux
quelques ciboules préparées de manière décorative (facultatif)
des nouilles ou du riz, pour le service

1 Parez le bœuf et coupez-le en fines tranches que vous détaillez ensuite en lanières. Enrobez soigneusement de Maïzena.

2 Faites chauffer l'huile de sésame dans un wok préchauffé ou une grande poêle antiadhésive. Ajoutez le bœuf et saisissez-le à feu vif pendant 3 minutes. Retirez-le et réservez.

3 Incorporez les brocolis, les ciboules, la carotte, l'ail, le gingembre et le bouillon. Couvrez et laissez frémir 3 minutes. Poursuivez la cuisson à découvert, en remuant, jusqu'à ce que le bouillon réduise entièrement.

4 Mélangez la sauce de soja, le Xérès, le sucre avant de les ajouter dans le wok avec le bœuf. Faites cuire 2 à 3 minutes, en remuant sans arrêt. Dressez sur un plat chaud et décorez de ciboule. Servez avec du riz ou des nouilles.

CONSEIL

Pour préparer les ciboules de manière décorative, jetez le bulbe, puis coupez la pousse verte de manière à ce que la ciboule mesure 7,5 cm de long. Taillez-la en fines lanières jusqu'à 2,5 cm de la base, puis laissez-la 1 heure dans l'eau glacée.

Fricassée de bœuf aux navets croustillants

Ces fines lamelles de navets croustillantes enrichissent de leur texture cette préparation insolite, à déguster avec des amis.

INGRÉDIENTS

Pour 4 personnes

350 g de navets
450 g de rumsteck
450 g de poireaux parés
2 poivrons rouges épépinés
350 g de courgettes
6 cuil. à soupe d'huile végétale
2 gousses d'ail écrasées
3 cuil. à soupe de sauce hoi-sin
sel et poivre noir du moulin

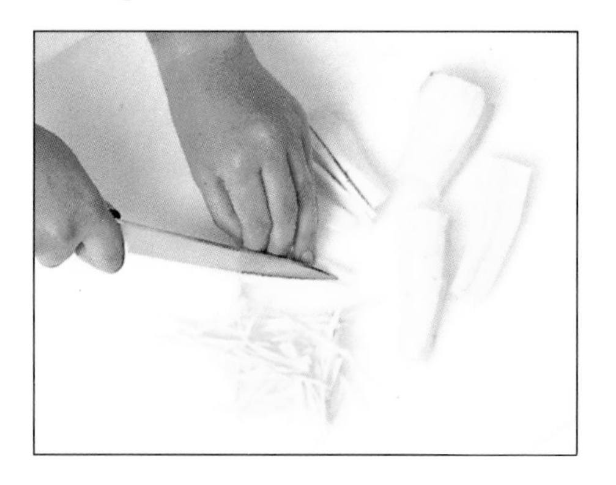

1 Épluchez les navets et coupez-les en deux dans la longueur. Posez la surface plate sur une planche et détaillez en fines lamelles. Rincez-les sous l'eau froide, puis égouttez-les soigneusement. Posez-les sur du papier absorbant.

2 Débitez le bœuf en fines lanières. Taillez les poireaux en deux dans la longueur et coupez-les en gros morceaux. Hachez grossièrement les poivrons et coupez les courgettes en fines rondelles.

3 Dans un wok préchauffé avec l'huile, faites dorer les navets jusqu'à ce qu'ils soient croustillants. Procédez si besoin en plusieurs fois, en ajoutant un peu d'huile. Retirez avec une écumoire et posez-les sur du papier absorbant.

4 Faites rissoler le bœuf dans le wok, en procédant si besoin en plusieurs fois et en ajoutant de l'huile. Posez-le sur du papier absorbant.

5 Faites revenir l'ail, les poireaux, les poivrons et les courgettes pendant 10 minutes, jusqu'à ce qu'ils commencent à ramollir, puis assaisonnez.

6 Incorporez la viande dans la préparation avec la sauce hoi-sin, et laissez chauffer 2 à 3 minutes. Rectifiez l'assaisonnement avant de servir avec les navets sur le dessus.

Bœuf cantonais à la sauce d'huître

Cette recette cantonaise traditionnelle est réalisable avec n'importe quels légumes. Les pois mange-tout peuvent être remplacés par des brocolis, les épis de maïs par des pousses de bambou, les champignons de paille par des noirs ou blancs.

INGRÉDIENTS

Pour 4 personnes

350 g de rumsteck
1 cuil. à café de sucre roux
1 cuil. à soupe de sauce de soja claire
2 cuil. à café de vin de riz chinois ou de Xérès sec
2 cuil. à café de pâte de Maïzena
115 g de pois mange-tout
115 g de petits épis de maïs
115 g de champignons de paille ou de volvaires
1 ciboule
30 cl d'huile végétale
quelques petits morceaux de gingembre frais
1/2 cuil. à café de sel
2 cuil. à soupe de sauce d'huître

1 Détaillez le bœuf en fines lanières. Mettez-le dans un saladier avec le sucre, la sauce de soja, le vin de riz ou le Xérès et la pâte de Maïzena. Mélangez bien et laissez mariner 25 à 30 minutes.

2 Épluchez les pois mange-tout et coupez les épis de maïs en deux. Si vous utilisez des champignons en boîte, égouttez-les bien. S'ils sont gros, partagez-les en deux, sinon laissez-les entiers. Détaillez la ciboule en petits morceaux.

3 Dans un wok préchauffé avec l'huile, faites revenir le bœuf jusqu'à ce qu'il change de couleur. Retirez-le avec une écumoire et égouttez-le.

4 Jetez l'huile du wok, à l'exception de 2 cuillerées à soupe, puis ajoutez la ciboule, le gingembre et les légumes. Remuez pendant 2 minutes avec le sel, avant d'incorporer le bœuf et la sauce d'huître. Mélangez intimement avant de servir.

Bœuf à l'orange et au gingembre

Utilisant un minimum de matières grasses, la cuisson au wok est l'une des plus diététiques. Cette recette est idéale pour les personnes qui veulent maigrir, celles qui suivent un régime basses calories ou contre le cholestérol.

INGRÉDIENTS

Pour 4 personnes

450 g de rumsteck ou de filet de bœuf détaillé en fines lanières
le jus et le zeste finement râpé d'1 orange
1 cuil. à soupe de sauce de soja claire
1 cuil. à café de Maïzena
2,5 cm de gingembre frais finement haché
2 cuil. à café d'huile de sésame
1 grosse carotte coupée en julienne
2 ciboules finement émincées
des nouilles de riz ou du riz cuit à l'eau, pour le service

1 Réunissez dans un saladier le bœuf, le zeste et le jus d'orange. Laissez mariner environ 30 minutes.

2 Récupérez le liquide de la marinade et réservez. Mélangez le bœuf, la sauce de soja, la Maïzena et le gingembre.

3 Dans un wok préchauffé ou une poêle, faites rissoler le bœuf 1 minute dans l'huile chaude, jusqu'à ce qu'il change de couleur. Ajoutez la carotte et remuez pendant 2 à 3 minutes.

4 Incorporez les ciboules et le liquide de la marinade. Faites cuire, sans cesser de remuer, jusqu'à ce que la sauce bouillonne et épaississe. Servez chaud avec des nouilles de riz ou du riz nature.

Steak grillé à la malaise

Ce mode de cuisson malais, consistant à saisir sur un gril en fonte de la viande marinée, peut tout aussi bien convenir pour du poulet ou du porc.

INGRÉDIENTS

Pour 4 à 6 personnes

1 gousse d'ail écrasée
2,5 cm de gingembre frais finement haché
2 cuil. à café de grains de poivre noir
1 cuil. à soupe de sucre
2 cuil. à soupe de sauce de tamarin
3 cuil. à soupe de sauce de soja foncée
1 cuil. à soupe de sauce d'huître
4 tranches de rumsteck d'environ 200 g chacune
1 cuil. à soupe d'huile végétale

Sauce d'accompagnement

5 cuil. à soupe de bouillon de bœuf
2 cuil. à soupe de ketchup
1 cuil. à café de sauce au piment
le jus d'1 citron

1 Broyez l'ail, le gingembre, les grains de poivre, le sucre et la sauce de tamarin dans un mortier avec un pilon. Versez la sauce de soja et la sauce d'huître, puis nappez les steaks de cette préparation. Laissez mariner 8 heures dans le réfrigérateur.

2 Faites chauffer un gril en fonte à feu vif. Retirez la marinade de la viande et réservez. Humectez la viande d'huile et faites griller 2 minutes de chaque côté si vous désirez des steaks saignants, 3 à 4 minutes pour obtenir une cuisson à point.

3 Pour préparer la sauce, mélangez dans une casserole la marinade, le bouillon, le ketchup, la sauce au piment et le jus de citron. Laissez frémir à feu doux. Servez les steaks et présentez la sauce séparément.

Curry de bœuf à la sauce de cacahuètes

Ce riche curry est beaucoup plus consistant que la plupart des currys thaïlandais. Vous pouvez le servir avec du riz parfumé et des œufs de cane.

INGRÉDIENTS

Pour 4 à 6 personnes

60 cl de lait de coco
3 cuil. à soupe de pâte de curry rouge
3 cuil. à soupe de sauce de poisson
2 cuil. à soupe de sucre de palme
2 bâtons de citronnelle écrasés
450 g de rumsteck détaillé en lanières
75 g de cacahuètes grillées moulues
2 piments rouges émincés
5 feuilles de lime ciselées
sel et poivre noir du moulin
10 à 15 feuilles de basilic thaï, pour la décoration
2 œufs durs salés, pour le service

1 Faites chauffer la moitié du lait de coco dans une cocotte, en tournant, jusqu'à ce qu'il bouillonne et se sépare.

2 Ajoutez la pâte de curry rouge et remuez, puis incorporez la sauce de poisson, le sucre de palme et la citronnelle.

Conseil

Vous pouvez acheter une pâte de curry thaïlandaise toute faite si vous n'avez pas le temps de la préparer vous-même. On en trouve un large choix dans les supermarchés asiatiques.

3 Poursuivez la cuisson jusqu'à ce que la couleur fonce. Versez le lait de coco restant et portez de nouveau à ébullition.

4 Mélangez le bœuf et les cacahuètes, puis faites cuire 8 à 10 minutes, afin que le liquide soit en partie évaporé.

5 Ajoutez enfin les piments et les feuilles de lime. Rectifiez l'assaisonnement. Décorez de feuilles de basilic et servez avec des œufs durs salés.

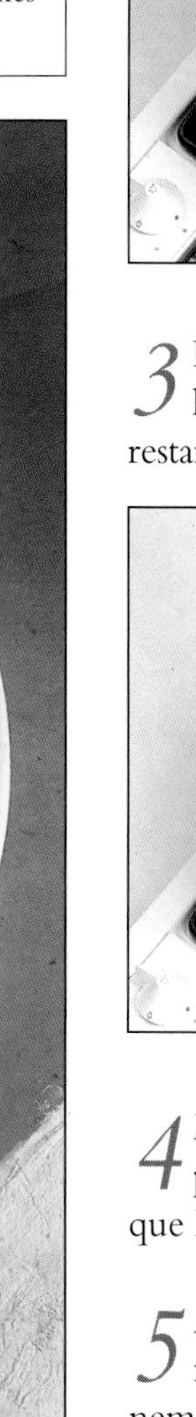

Bœuf au sésame

Les graines de sésame grillées relèvent de leur arôme fumé cette délicate marinade orientale.

INGRÉDIENTS

Pour 4 personnes

450 g de rumsteck
2 cuil. à soupe de graines de sésame
1 cuil. à soupe d'huile de sésame
2 cuil. à soupe d'huile végétale
115 g de petits champignons coupés en quatre
1 gros poivron vert épépiné et détaillé en lanières
4 ciboules coupées dans la diagonale
du riz cuit à l'eau, pour le service

La marinade

2 cuil. à café de Maïzena
2 cuil. à soupe de vin de riz chinois ou de Xérès sec
1 cuil. à soupe de jus de citron
1 cuil. à soupe de sauce de soja
quelques gouttes de Tabasco
2,5 cm de gingembre frais râpé
1 gousse d'ail écrasée

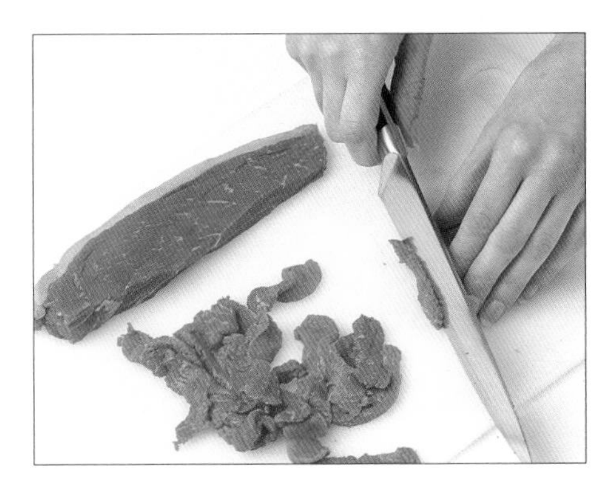

1 Parez le steak et détaillez-le en fines lanières de 1 x 5 cm.

CONSEIL

Cette marinade peut également se marier avec du porc ou du poulet.

2 Pour préparer la marinade, mélangez la Maïzena dans un saladier avec le vin de riz ou le Xérès, puis ajoutez le jus de citron, la sauce de soja, le Tabasco, le gingembre et l'ail. Mélangez à la viande, couvrez et laissez 3 à 4 heures dans un endroit frais.

3 Faites griller les graines de sésame à feu moyen dans une poêle non graissée, en les secouant. Réservez.

4 Faites chauffer les deux huiles dans la poêle. Égouttez la viande, en réservant la marinade, et laissez rissoler quelques morceaux à la fois. Retirez-la avec une écumoire.

5 Faites revenir les champignons et le poivron vert pendant 2 à 3 minutes. Ajoutez les ciboules et remuez pendant encore 1 minute.

6 Remettez le steak dans la poêle, avec la marinade réservée, et poursuivez la cuisson pendant 2 minutes à feu moyen, jusqu'à ce que les ingrédients soient enrobés de sauce. Saupoudrez de graines de sésame et servez aussitôt avec du riz cuit à l'eau.

Émincé de bœuf aux pois mange-tout

Le croustillant et la fraîcheur des pois mange-tout s'accordent bien au moelleux de la viande dans cette préparation relevée d'une sauce aromatique.

INGRÉDIENTS

Pour 4 personnes

450 g de rumsteck
3 cuil. à soupe de sauce de soja
2 cuil. à soupe de vin de riz chinois ou de Xérès sec
1 cuil. à soupe de sucre roux
1/2 cuil. à café de Maïzena
1 cuil. à soupe de gingembre frais finement haché
1 cuil. à soupe d'ail finement haché
1 cuil. à soupe d'huile végétale
225 g de pois mange-tout

1 Coupez le bœuf en tranches minces de taille égale.

2 Mélangez la sauce de soja, le vin de riz ou le Xérès, le sucre roux et la Maïzena. Réservez cette sauce.

3 Dans un wok préchauffé, faites revenir le gingembre et l'ail pendant 30 secondes dans l'huile chaude. Ajoutez le bœuf et laissez rissoler encore 2 minutes.

4 Incorporez les mange-tout et faites chauffer pendant 3 minutes.

5 Remuez la sauce avant de verser dans le wok. Portez à ébullition, sans cesser de tourner. Baissez le feu, puis laissez frémir pour obtenir une sauce lisse et épaisse. Servez aussitôt.

Bœuf braisé à la sauce de cacahuètes

Comme nombre de plats importés aux Philippines par les Espagnols, ce ragoût rebaptisé *kari kari* allie son charme d'origine à une tonalité typiquement orientale. Le riz et les cacahuètes enrichissent merveilleusement la sauce.

INGRÉDIENTS

Pour 4 à 6 personnes

900 g de bœuf à braiser
2 cuil. à soupe d'huile végétale
1 cuil. à soupe de graines d'annatto
2 oignons moyens hachés
2 gousses d'ail, écrasées
275 g de céleri-rave ou de rutabaga grossièrement hachés
48 cl de bouillon de bœuf
375 g de pommes de terre épluchées et détaillées en gros cubes
1 cuil. à soupe de sauce de poisson ou d'anchois
2 cuil. à soupe de sauce de tamarin
2 cuil. à café de sucre
1 feuille de laurier
1 branche de thym frais
3 cuil. à soupe de riz à grains longs
50 g de cacahuètes ou 2 cuil. à soupe de beurre de cacahuètes
1 cuil. à soupe de vinaigre de vin blanc
sel et poivre noir du moulin

1 Détaillez le bœuf en cubes de 2,5 cm et réservez. Faites chauffer l'huile dans une cocotte, ajoutez les graines d'annatto et remuez jusqu'à ce que l'huile devienne rouge foncé. Jetez les graines.

2 Faites revenir les oignons, l'ail, le céleri-rave ou le rutabaga dans la cocotte pendant 3 à 5 minutes, sans qu'ils changent de couleur. Ajoutez le bœuf et laissez dorer. Incorporez ensuite le bouillon, les pommes de terre, la sauce de poisson ou d'anchois, la sauce de tamarin, le sucre, le laurier et le thym. Couvrez et laissez frémir pendant 2 heures.

3 Pendant ce temps, versez le riz dans un saladier, couvrez d'eau froide et laissez tremper 30 minutes. Faites griller les cacahuètes pendant 2 minutes sous le gril préchauffé. Retirez la peau en frottant avec un torchon propre. Égouttez le riz et broyez avec les cacahuètes ou le beurre de cacahuètes dans un mixer ou avec un mortier et un pilon.

4 Lorsque le bœuf est tendre, mouillez la préparation au riz avec 4 cuillerées à soupe de liquide de cuisson. Mélangez soigneusement avant de verser dans la cocotte. Laissez frémir à découvert, pendant 15 à 20 minutes, jusqu'à ce que la sauce épaississe. Ajoutez le vinaigre de riz et assaisonnez.

CONSEIL

Les graines d'annatto, comestibles, ont peu de goût. Elles colorent l'huile ou le saindoux d'une riche teinte rouge orangé. Elles peuvent être remplacées par 1 cuillerée à café de paprika et une pincée de curcuma que l'on ajoute dans la cocotte avec le bœuf.

Fondue japonaise au bœuf et aux légumes

Le nom japonais de ce mets, *shabu shabu,* vient du grésillement produit par les tranches de bœuf, le tofu et les légumes lorsqu'on les plonge dans le bouillon. Une idée originale de plat unique pour un dîner.

INGRÉDIENTS

Pour 4 à 6 personnes

450 g de filet de bœuf paré
1,75 l d'eau
1/2 sachet de poudre de *dashi* instantané ou 1/2 cube de bouillon de légumes
150 g de carottes
6 ciboules émincées
150 g de chou chinois grossièrement haché
225 g de mooli détaillé en lanières
115 g de pousses de bambou égouttées et coupées en rondelles
175 g de tofu détaillé en gros cubes
10 champignons shiitake frais ou séchés
sel
275 g de nouilles *udon* cuites, pour le service

La sauce au sésame

50 g de graines de sésame ou 2 cuil. à soupe de tahini
12 cl de bouillon de *dashi* ou de légumes
4 cuil. à soupe de sauce de soja foncée
2 cuil. à café de sucre
2 cuil. à soupe de saké (facultatif)
2 cuil. à café de poudre de *wasabi* (facultatif)

La sauce ponzu

3 cuil. à soupe de jus de citron
1 cuil. à soupe de vinaigre de riz ou de vinaigre de vin blanc
3 cuil. à soupe de sauce de soja foncée
1 cuil. à soupe de sauce de tamarin
1 cuil. à soupe de mirin ou 1 cuil. à café de sucre
1/4 de cuil. à café de poudre de *dashi* ou 1/4 de cube de bouillon de légumes

1 Laissez durcir, mais non congeler, le bœuf pendant 30 minutes au congélateur. Détaillez-le en tranches très fines avec un hachoir ou un grand couteau bien affûté. Dressez la viande de manière décorative sur une assiette, couvrez et réservez. Portez l'eau à ébullition dans un *donabe* japonais, un appareil à fondue ou une cocotte aux parois extérieures non émaillées. Ajoutez la poudre de *dashi* ou le cube de bouillon, couvrez et laissez frémir 8 à 10 minutes. Posez le récipient sur un réchaud, sur la table.

2 Pendant ce temps, préparez les légumes. Faites bouillir une casserole d'eau légèrement salée. Entaillez les carottes sur la longueur, puis émincez-les finement. Blanchissez séparément les carottes, les ciboules, le chou chinois et le mooli pendant 2 à 3 minutes, puis égouttez-les soigneusement. Disposez les légumes sur des plats, avec les pousses de bambou et le tofu. Si vous utilisez des champignons séchés, laissez-les tremper 3 à 4 minutes dans l'eau chaude, puis égouttez-les. Détaillez les champignons shiitake.

3 Pour préparer la sauce au sésame, faites griller les graines de sésame dans une poêle non graissée, sur feu moyen. Broyez dans un mixer ou avec un mortier et un pilon.

4 Mélangez intimement les graines de sésame ou le tahini, le bouillon, la sauce de soja, le sucre, le saké et la poudre de *wasabi,* puis versez dans un bol de service.

5 Pour préparer la sauce ponzu, réunissez tous les ingrédients dans un bocal à fermeture hermétique et secouez vigoureusement. Versez ensuite dans un bol de service.

6 Pour servir, présentez les légumes et les sauces autour du bouillon. Donnez aux convives des baguettes et des bols pour qu'ils choisissent les ingrédients à leur gré et les plongent dans le bouillon. Chacun pourra terminer son repas par une portion de nouilles arrosée de bouillon.

CONSEIL

Le tahini est une purée de graines de sésame grillées qui se consomme principalement en Grèce, en Turquie et au Moyen-Orient. Utiliser du tahini évite d'avoir à broyer des graines de sésame. Il se vend dans les épiceries orientales et dans les supermarchés.

Bœuf sukiyaki

Ce plat japonais, à base de viande, légumes, nouilles et tofu, compose un repas complet. Dans la tradition du pays, il se consomme avec des baguettes et une cuillère pour le bouillon.

INGRÉDIENTS

Pour 4 personnes

450 g de rumsteck épais
200 g de nouilles de riz japonaises
1 cuil. à soupe de saindoux coupé en petits morceaux
200 g de tofu ferme détaillé en cubes
8 champignons shiitake sans les queues
2 poireaux moyens détaillés en sections de 2,5 cm
90 g d'épinards, pour le service

Le bouillon

1 cuil. à soupe de sucre en poudre
6 cuil. à soupe de saké, de vin de riz chinois ou de Xérès sec
3 cuil. à soupe de sauce de soja foncée
12 cl d'eau

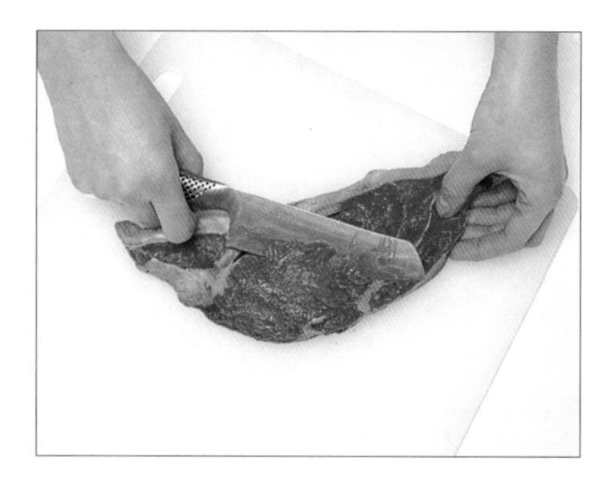

1 Coupez le bœuf en fines tranches avec un hachoir ou un couteau bien affûté.

2 Ébouillantez les nouilles pendant 2 minutes. Égouttez-les soigneusement et réservez.

3 Pour préparer le bouillon, mélangez le sucre, le saké, le vin de riz ou le Xérès, la sauce de soja et l'eau.

4 Faites fondre le saindoux dans un wok préchauffé, puis faites revenir le bœuf pendant 2 à 3 minutes, jusqu'à ce qu'il soit cuit mais encore rose.

5 Versez le bouillon sur le bœuf. Ajoutez le tofu, les champignons, les poireaux, et faites cuire 4 minutes, jusqu'à ce que les poireaux soient tendres.

6 Présentez à chaque personne un peu de tous les ingrédients, y compris des épinards.

Satay de bœuf à la sauce de mangue chaude

Le bœuf parfumé est relevé d'une sauce à la mangue épicée. Une salade verte et du riz nature compléteront la subtile harmonie de saveurs et de textures.

INGRÉDIENTS

Pour 4 personnes

450 g de filet de bœuf
1 cuil. à soupe de graines de coriandre
1 cuil. à café de graines de cumin
50 g de noix de cajou crues
1 cuil. à soupe d'huile végétale
2 échalotes ou 1 petit oignon finement hachés
1 cm de gingembre frais finement haché
1 gousse d'ail écrasée
2 cuil. à soupe de sauce de tamarin
2 cuil. à soupe de sauce de soja foncée
2 cuil. à café de sucre
1 cuil. à café de vinaigre de riz ou de vinaigre de vin blanc
quelques feuilles de salade, pour le service

La sauce à la mangue

1 mangue mûre
1 à 2 petits piments rouges frais épépinés et finement hachés
1 cuil. à soupe de sauce de poisson
le jus d'1 citron vert
2 cuil. à café de sucre
2 cuil. à soupe de coriandre fraîche ciselée
sel

1 Détaillez le bœuf en longues bandes étroites, puis enfilez en zigzag sur 12 brochettes de bambou. Réservez sur une assiette.

2 Faites dorer les graines de coriandre, de cumin et les noix de cajou dans un wok préchauffé et non graissé. Broyez finement dans un mixer ou avec un mortier et un pilon. Mélangez la préparation avec l'huile, les échalotes ou l'oignon, le gingembre, l'ail, la sauce de tamarin, la sauce de soja, le sucre et le vinaigre. Versez sur le bœuf et laissez mariner 8 heures.

3 Faites cuire les brochettes pendant 6 à 8 minutes sous le gril préchauffé, en les retournant pour qu'elles dorent régulièrement.

4 Dans le même temps, préparez la sauce à la mangue. Pelez la mangue et détachez la chair du noyau. Mettez-la dans un mixer avec les piments, la sauce de poisson, le jus de citron, le sucre, puis hachez finement. Ajoutez la coriandre et salez. Dressez les brochettes sur des feuilles de salade et présentez la sauce séparément.

Émincé d'agneau aux ciboules

Les ciboules s'accordent parfaitement avec l'agneau dans cette préparation simple.

INGRÉDIENTS

Pour 3 à 4 personnes

450 g de filet d'agneau
2 cuil. à soupe de vin de riz chinois ou de Xérès sec
2 cuil. à café de sauce de soja claire
1/2 cuil. à café de grains de poivre du Sichuan grillés et moulus
1/2 cuil. à café de sel
1/2 cuil. à café de sucre roux
4 cuil. à café de sauce de soja foncée
1 cuil. à soupe d'huile de sésame
2 cuil. à soupe d'huile d'arachide
2 gousses d'ail finement émincées
2 bottes de ciboules coupées en sections de 7,5 cm, puis détaillées en lanières
2 cuil. à soupe de coriandre fraîche ciselée

1 Enveloppez l'agneau et laissez-le durcir 1 heure au congélateur. Coupez-le en tranches très fines. Mettez-le dans un saladier, ajoutez 2 cuillerées à café de vin de riz ou de Xérès, la sauce de soja claire et les grains de poivre. Mélangez délicatement et laissez mariner 20 à 30 minutes.

2 Pour préparer la sauce, réunissez dans un saladier le reste de vin de riz ou de Xérès, le sel, le sucre roux, la sauce de soja foncée et 2 cuillerées à café d'huile de sésame. Réservez.

3 Faites chauffer l'huile d'arachide dans un wok préchauffé. Ajoutez l'ail et laissez blondir quelques secondes, avant d'incorporer l'agneau. Remuez 1 minute, jusqu'à ce qu'il change de couleur. Versez la sauce et mélangez.

4 Ajoutez les ciboules, la coriandre, et faites revenir 15 à 20 minutes. Le plat doit présenter un aspect légèrement sec. Servez aussitôt, arrosé avec le reste d'huile de sésame.

CONSEIL

Certains supermarchés vendent de l'agneau déjà coupé en tranches très fines. Votre boucher peut aussi le préparer ainsi. Ce plat en sera d'autant plus vite réalisé.

Agneau à la menthe

L'accord bien connu de l'agneau et de la menthe se révèle particulièrement réussi dans ce mets très parfumé.

INGRÉDIENTS

Pour 2 personnes

275 g de filet d'agneau
2 cuil. à soupe d'huile de tournesol
2 cuil. à café d'huile de sésame
1 oignon grossièrement haché
2 gousses d'ail écrasées
1 piment rouge frais épépiné et finement haché
75 g de haricots verts coupés en deux
225 g d'épinards frais
2 cuil. à soupe de sauce d'huître
2 cuil. à soupe de sauce de poisson
1 cuil. à soupe de jus de citron
1 cuil. à café de sucre en poudre
3 cuil. à soupe de menthe fraîche ciselée
sel et poivre noir moulu
des branches de menthe fraîche, pour la décoration
du pain frais, pour le service

1 Parez l'agneau et détaillez-le en fines tranches. Faites chauffer l'huile de tournesol et l'huile de sésame dans un wok préchauffé, puis laissez rissoler l'agneau à feu vif. Retirez avec une écumoire et posez sur du papier absorbant.

2 Faites revenir l'oignon, l'ail et le piment dans le wok 2 à 3 minutes. Ajoutez les haricots et remuez pendant 3 minutes.

3 Incorporez les épinards, l'agneau, la sauce d'huître, la sauce de poisson, le jus de citron et le sucre. Poursuivez la cuisson pendant 3 à 4 minutes, jusqu'à ce que l'agneau soit à point.

4 Saupoudrez de menthe ciselée, rectifiez l'assaisonnement et décorez de feuilles de menthe. Servez très chaud, avec du pain pour la sauce.

Agneau sauté aux ciboules

Dans cette recette pékinoise traditionnelle à base de viande et de légumes, l'agneau peut être remplacé par du bœuf ou du porc, les ciboules par des poireaux.

INGRÉDIENTS

Pour 4 personnes

400 g de gigot d'agneau
1 cuil. à café de sucre roux
1 cuil. à soupe de sauce de soja claire
1 cuil. à soupe de vin de riz chinois ou de Xérès sec
2 cuil. à café de pâte de Maïzena
15 g de champignons séchés
6 à 8 ciboules
30 cl d'huile végétale
quelques petits morceaux de gingembre frais
2 cuil. à soupe de pâte de soja jaune
quelques gouttes d'huile de sésame

1 Détaillez l'agneau en tranches fines et mettez-le dans un plat. Mélangez le sucre, la sauce de soja, le vin de riz ou le Xérès sec et la pâte de Maïzena, versez sur l'agneau et laissez mariner 30 à 45 minutes. Faites tremper les champignons 25 à 30 minutes dans l'eau, puis égouttez-les et coupez-les en petits morceaux. Hachez finement les ciboules.

2 Dans un wok préchauffé, faites rissoler l'agneau pendant 1 minute dans l'huile chaude. Retirez-le avec une écumoire, égouttez-le et réservez.

3 Jetez l'huile du wok, sauf 1 cuillerée à soupe, puis ajoutez les ciboules, le gingembre, les champignons et la pâte de soja jaune. Mélangez avant d'incorporer la viande. Remuez 1 minute, arrosez d'huile de sésame et servez.

Agneau au cinq-épices

Ce plat d'agneau parfumé et appétissant sera le bienvenu à l'occasion d'un repas simple.

INGRÉDIENTS

Pour 4 personnes

2 cuil. à soupe d'huile
1,5 kg de gigot d'agneau désossé et coupé en cubes
1 oignon haché
2 cuil. à café de gingembre frais râpé
1 gousse d'ail écrasée
1 cuil. à café de cinq-épices
2 cuil. à soupe de sauce hoi-sin
1 cuil. à soupe de sauce de soja claire
30 cl de coulis de tomates
25 cl de bouillon d'agneau
1 poivron rouge épépiné et coupé en dés
1 poivron jaune épépiné et coupé en dés
2 cuil. à soupe de coriandre fraîche ciselée
1 cuil. à soupe de graines de sésame grillées
sel et poivre noir du moulin
du riz cuit à l'eau, pour le service

1 Faites chauffer 2 cuillerées à soupe d'huile dans une cocotte et dorez l'agneau en plusieurs fois à feu vif. Retirez-le et réservez.

2 Mettez dans la cocotte l'oignon, le gingembre et l'ail, en rajoutant un peu d'huile si besoin, et faites cuire 5 minutes.

3 Remettez l'agneau dans la cocotte. Ajoutez le cinq-épices, les sauces hoi-sin et de soja, le coulis de tomates, le bouillon et l'assaisonnement. Portez à ébullition, couvrez et laissez mijoter 15 minutes dans le four préchauffé à 160 °C/thermostat 3.

4 Sortez la cocotte du feu, incorporez les poivrons, couvrez et poursuivez la cuisson au four pendant 15 minutes, jusqu'à ce que l'agneau soit tendre.

5 Saupoudrez de coriandre et de graines de sésame. Servez chaud avec du riz.

Nouilles braisées à l'agneau

Symbole de continuité et de fertilité, l'œuf figure souvent au menu des repas d'anniversaires. À cette occasion également, les nouilles sont servies longues ; si on les coupe, elles peuvent être un signe de mauvais présage, augurant une vie courte.

INGRÉDIENTS

Pour 4 personnes

350 g de nouilles aux œufs épaisses
1 kg de filet d'agneau
2 cuil. à soupe d'huile végétale
115 g de haricots verts fins épluchés et blanchis
sel et poivre noir du moulin
2 œufs durs coupés en deux, et 2 ciboules finement hachées, pour la décoration

La marinade

2 gousses d'ail écrasées
2 cuil. à café de gingembre frais râpé
2 cuil. à soupe de sauce de soja
2 cuil. à soupe de vin de riz
1 à 2 piments rouges séchés
2 cuil. à soupe d'huile végétale

La sauce

1 cuil. à soupe de Maïzena
2 cuil. à soupe de sauce de soja
2 cuil. à soupe de vin de riz
le jus et le zeste râpé d'1/2 orange
1 cuil. à soupe de sauce hoi-sin
1 cuil. à soupe de vinaigre de vin
1 cuil. à café de sucre roux

1 Portez à ébullition une grande casserole d'eau. Plongez les nouilles et faites-les cuire 2 minutes. Égouttez-les, rincez-les sous l'eau froide, puis égouttez-les de nouveau. Réservez.

2 Détaillez l'agneau en médaillons de 5 cm d'épaisseur. Mélangez les ingrédients de la marinade dans un grand plat. Ajoutez l'agneau et laissez mariner au moins 4 heures, ou 1 nuit.

3 Faites chauffer l'huile dans une cocotte, puis laissez dorer l'agneau pendant 5 minutes. Couvrez d'eau. Portez à ébullition, retirez l'écume, baissez le feu et laissez frémir 40 minutes, jusqu'à ce que la viande soit tendre, en mouillant si besoin avec de l'eau.

4 Pour préparer la sauce, mélangez la Maïzena avec le reste des ingrédients dans un saladier. Incorporez à l'agneau et remuez délicatement, sans séparer les morceaux de viande.

5 Ajoutez les nouilles dans la cocotte avec les haricots. Laissez frémir doucement jusqu'à ce que les nouilles et les haricots soient cuits. Salez et poivrez. Répartissez les nouilles, l'agneau et les haricots dans quatre grands bols, décorez chaque portion d'1/2 œuf dur et de morceaux de ciboule, puis servez.

Chow Mein de porc

Un plat familial, rapide à préparer, parfumé à l'huile de sésame, dans la plus pure tradition orientale.

INGRÉDIENTS

Pour 4 personnes

175 g de nouilles moyennes aux œufs
350 g de filet de porc
2 cuil. à soupe d'huile de tournesol
1 cuil. à soupe d'huile de sésame
2 gousses d'ail écrasées
8 ciboules émincées
1 poivron rouge épépiné et grossièrement haché
1 poivron vert épépiné et grossièrement haché
2 cuil. à soupe de sauce de soja foncée
3 cuil. à soupe de vin de riz chinois ou de Xérès sec
175 g de germes de soja
3 cuil. à soupe de persil frais ciselé, et 1 cuil. à soupe de graines de sésame grillées, pour la décoration

1 Faites tremper les nouilles selon les instructions du fabricant, puis égouttez-les soigneusement.

2 Détaillez le porc en tranches minces. Faites chauffer l'huile de tournesol dans un wok préchauffé, puis laissez rissoler le porc à feu vif.

3 Ajoutez l'huile de sésame, l'ail, les ciboules et les poivrons. Faites cuire 3 à 4 minutes à feu vif, jusqu'à ce que les légumes deviennent tendres.

4 Réduisez légèrement le feu avant d'incorporer les nouilles avec la sauce de soja et le vin de riz ou le Xérès sec. Remuez pendant 2 minutes. Mélangez les germes de soja et poursuivez la cuisson pendant 1 à 2 minutes. Si les nouilles commencent à coller, mouillez avec un peu d'eau. Décorez de persil et de graines de sésame avant de servir.

Porc à la sauce aigre-douce

Ce plat savoureux, cuit au four, nécessite moins d'huile qu'une préparation dans le wok. Il sera peu calorique si vous retirez le gras du porc avant de le cuisiner.

INGRÉDIENTS

Pour 4 personnes

350 g de filet de porc
1 cuil. à café d'huile de tournesol
2,5 cm de gingembre frais râpé
1 piment rouge frais épépiné et finement haché
1 cuil. à café de cinq-épices
1 cuil. à soupe de vinaigre de Xérès
1 cuil. à soupe de sauce de soja
225 g de morceaux d'ananas en boîte, avec leur jus
20 cl de bouillon de volaille
4 cuil. à café de Maïzena
1 cuil. à soupe d'eau
1 petit poivron vert épépiné et émincé
115 g de petits épis de maïs coupés en deux
sel et poivre noir du moulin
du persil plat, pour la décoration
du riz cuit à l'eau, pour le service

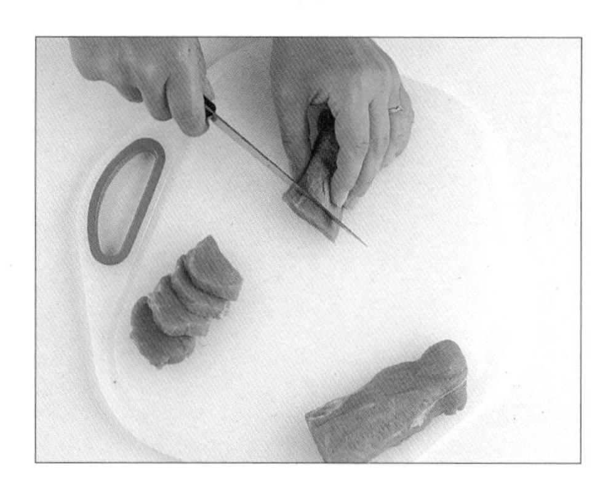

1 Dégraissez le porc et coupez-le en tranches de 1 cm d'épaisseur avec un couteau bien affûté.

2 Faites chauffer l'huile de tournesol dans une cocotte. Laissez dorer le porc à feu moyen pendant 2 minutes de chaque côté.

3 Mélangez le gingembre, le piment, le cinq-épices, le vinaigre de Xérès et la sauce de soja.

4 Égouttez les morceaux d'ananas, en réservant le jus. Mélangez le bouillon avec le jus de manière à obtenir 30 cl de liquide, ajoutez les épices et versez sur le porc.

5 Laissez frissonner le bouillon. Délayez la Maïzena dans l'eau avant d'incorporer au porc. Ajoutez le poivron, les épis de maïs, et assaisonnez.

6 Faites cuire 30 minutes à couvert dans le four préchauffé à 160 °C/ thermostat 3, jusqu'à ce que le porc soit tendre. Incorporez l'ananas et poursuivez la cuisson pendant 5 minutes. Décorez de persil avant de servir avec du riz cuit à l'eau.

CONSEIL

La poudre cinq-épices chinoise s'achète dans les épiceries asiatiques et certains supermarchés. Vous pouvez la remplacer par un mélange d'épices en poudre, bien que la saveur soit légèrement différente.

Porc chinois aigre-doux

Le porc aigre-doux est sans doute l'un des plats les plus prisés des Occidentaux, mais il est souvent dénaturé par l'ajout de ketchup dans la sauce. Cette recette authentique est originaire de Canton.

INGRÉDIENTS

Pour 4 personnes

350 g de porc maigre
1/4 de cuil. à café de sel
1/2 cuil. à café de grains de poivre du Sichuan moulus
1 cuil. à soupe de vin de riz chinois ou de Xérès sec
115 g de pousses de bambou
2 cuil. à soupe de farine
1 œuf légèrement battu
huile végétale, pour la friture

La sauce

1 cuil. à soupe d'huile végétale
1 gousse d'ail finement hachée
1 ciboule coupée en petites sections
1 petit poivron vert épépiné et coupé en dés
1 piment rouge frais épépiné et détaillé en lanières
1 cuil. à soupe de sauce de soja claire
2 cuil. à soupe de sucre roux
2 à 3 cuil. à soupe de vinaigre de riz
1 cuil. à soupe de concentré de tomates
environ 12 cl de bouillon clair *(voir p. 16)* ou d'eau

1 Détaillez le porc en petits cubes et mettez-le dans un plat. Ajoutez le sel, les grains de poivre et le vin de riz ou le Xérès sec. Laissez mariner 15 à 20 minutes.

2 Égouttez les pousses de bambou en conserve et coupez-les en petits cubes de la même taille que le porc.

3 Saupoudrez le porc de farine, plongez-le dans l'œuf battu et enrobez-le de farine. Dans un wok préchauffé, faites revenir le porc pendant 3 à 4 minutes dans l'huile chaude, en remuant pour séparer les morceaux. Égouttez-le.

4 Remettez le porc dans le wok après avoir réchauffé l'huile, puis ajoutez les pousses de bambou. Remuez pendant 1 minute, jusqu'à ce que le porc soit doré. Égouttez soigneusement.

5 Pour préparer la sauce, faites chauffer l'huile dans le wok propre, puis ajoutez l'ail, la ciboule, le poivron et le piment. Mélangez pendant 30 à 40 secondes, avant d'incorporer la sauce de soja, le sucre, le vinaigre de riz, le concentré de tomates et le bouillon ou l'eau. Portez à ébullition, ajoutez le porc et les pousses de bambou. Faites chauffer en remuant, puis servez.

Fricassée de porc aux légumes

Cette préparation facile, à base de porc et de légumes mélangés, vous permettra d'improviser rapidement un excellent plat familial.

INGRÉDIENTS

Pour 4 personnes

225 g de morceaux d'ananas en boîte
1 cuil. à soupe de Maïzena
2 cuil. à soupe de sauce de soja claire
1 cuil. à soupe de vin de riz chinois ou de Xérès sec
1 cuil. à soupe de sucre roux
1 cuil. à soupe de vinaigre de vin blanc
1 cuil. à café de cinq-épices
2 cuil. à café d'huile d'olive
1 oignon rouge émincé
1 gousse d'ail écrasée
1 piment rouge frais épépiné et haché
2,5 cm de gingembre frais
350 g de filet de porc détaillé en fines lanières
175 g de carottes
1 poivron rouge épépiné et émincé
175 g de pois mange-tout coupés en deux
115 g de germes de soja
200 g de grains de maïs en boîte
2 cuil. à soupe de coriandre fraîche hachée
sel
1 cuil. à soupe de graines de sésame grillées, pour la décoration

1 Égouttez l'ananas, en réservant le jus. Dans un bol, délayez la Maïzena dans le jus. Ajoutez la sauce de soja, le vin de riz ou le Xérès, le sucre, le vinaigre et le cinq-épices. Mélangez le tout et réservez.

2 Faites chauffer l'huile dans un wok préchauffé ou une grande poêle antiadhésive. Ajoutez l'oignon, l'ail, le piment, le gingembre, puis remuez pendant 30 secondes. Incorporez le porc et faites cuire pendant 2 à 3 minutes.

3 Coupez les carottes en julienne avant de les mettre dans le wok avec le poivron. Laissez chauffer 2 à 3 minutes, puis mélangez les pois mange-tout, les germes de soja et le maïs. Faites revenir pendant 1 à 2 minutes.

4 Versez la sauce, l'ananas, remuez jusqu'à ce que la sauce épaississe. Réduisez le feu et poursuivez la cuisson pendant 1 à 2 minutes. Ajoutez la coriandre et assaisonnez. Saupoudrez de graines de sésame avant de servir.

Soupe de porc et de crevettes aigre-douce

Cette soupe à la saveur piquante peut constituer un plat unique.

INGRÉDIENTS

Pour 4 à 6 personnes

225 g de crevettes crues ou cuites décortiquées
2 cuil. à soupe de sauce de tamarin
le jus de 2 citrons
350 g de porc maigre coupé en dés
1 petite goyave verte pelée, coupée et épépinée
1 petite mangue verte pelée, dénoyautée et hachée
1,5 l de bouillon de volaille
1 cuil. à soupe de sauce de poisson ou de sauce de soja
275 g de patates douces épluchées et détaillées en morceaux de taille égale
225 g de tomates vertes coupées en quatre
115 g de haricots verts coupés en deux
1 carambole coupée en tranches épaisses
75 g de chou vert détaillé en lanières
sel et poivre noir du moulin
quelques quartiers de citron vert, pour la décoration

1 Retirez les veines des crevettes et réservez. Mélangez la sauce de tamarin et le jus de citron dans une casserole.

2 Ajoutez le porc, la goyave, la mangue et le bouillon. Versez la sauce de poisson ou de soja, portez à ébullition, puis réduisez le feu et laissez frémir 30 minutes.

3 Incorporez le reste de fruits, les légumes, les crevettes, et poursuivez la cuisson à feu doux pendant 10 à 15 minutes. Assaisonnez. Dressez dans un plat de service et décorez de quartiers de citron.

Chaussons de porc

Cette recette des Philippines est un héritage des colons espagnols du XVIe siècle, teinté d'une note typiquement orientale.

INGRÉDIENTS

Pour 6 personnes

1 oignon moyen haché
1 gousse d'ail écrasée
1 cuil. à café de thym frais effeuillé
1 cuil. à soupe d'huile végétale
115 g de porc haché
1 cuil. à café de paprika
1 œuf dur haché
1 cornichon moyen haché
2 cuil. à soupe de persil frais ciselé
350 g de pâte à beignet surgelée, décongelée
sel et poivre noir du moulin
huile végétale, pour la friture

1 Pour préparer la garniture, faites revenir l'oignon, l'ail et le thym pendant 3 à 4 minutes dans l'huile chaude. Ajoutez le porc, le paprika, et remuez jusqu'à ce que la viande soit dorée. Assaisonnez, puis laissez refroidir dans un saladier. Incorporez l'œuf, le cornichon et le persil.

2 Pétrissez légèrement la pâte sur une surface farinée, puis étalez-la sous forme d'un carré de 37 cm de côté environ. Découpez 12 cercles de 12 cm de diamètre. Déposez 1 cuillerée à soupe de garniture sur chaque cercle, mouillez les bords avec de l'eau, repliez en forme de demi-lune et soudez les bords en appuyant dessus.

3 Faites chauffer l'huile à 190 °C dans une bassine à friture. Faites frire les beignets trois par trois, pendant 1 à 2 minutes, jusqu'à ce qu'ils soient dorés. Posez-les sur du papier absorbant et gardez-les au chaud pendant que vous faites cuire le reste. Servez chaud.

Boulettes de viande « têtes de lions »

Le nom chinois de ce plat – *shi zi tou* – vient de l'identification des boulettes de viande avec des têtes de lions, les feuilles de chou étant censées représenter la crinière.

INGRÉDIENTS

Pour 4 à 6 personnes

450 g de porc haché
2 cuil. à café de ciboule hachée menu
1 cuil. à café de gingembre frais finement haché
50 g de champignons hachés
50 g de crevettes cuites décortiquées, ou de chair de crabe hachée menu
1 cuil. à soupe de sauce de soja claire
1 cuil. à café de sucre roux
1 cuil. à soupe de vin de riz chinois ou de Xérès sec
1 cuil. à soupe de Maïzena
700 g de chou chinois
1 cuil. à café de sel
3 à 4 cuil. à soupe d'huile végétale
30 cl de bouillon clair *(voir p. 16)* ou d'eau

1 Mélangez le porc, la ciboule, le gingembre, les champignons, les crevettes ou la chair de crabe, la sauce de soja, le sucre roux, le vin de riz ou le Xérès et la Maïzena. Façonnez 4 à 6 boulettes de viande.

2 Détaillez le chou chinois en gros morceaux de taille identique.

3 Dans un wok préchauffé, faites revenir le chou et le sel pendant 2 à 3 minutes dans l'huile chaude. Ajoutez les boulettes et le bouillon, portez à ébullition, couvrez et laissez frémir pendant 30 à 45 minutes. Servez aussitôt.

Porc sauté aux légumes

Ce mets illustre à merveille la manière dont les Chinois harmonisent avec bonheur couleurs, saveurs et textures.

INGRÉDIENTS

Pour 4 personnes

225 g de filet de porc coupé en tranches fines
1 cuil. à soupe de sauce de soja claire
1 cuil. à café de sucre roux
1 cuil. à café de vin de riz chinois ou de Xérès sec
2 cuil. à café de pâte de Maïzena
125 g de tomates fermes pelées
175 g de courgettes
1 ciboule
4 cuil. à soupe d'huile végétale
1 cuil. à café de sel (facultatif)
bouillon clair *(voir p. 16)* ou eau, si besoin

1 Réunissez dans un saladier le porc, 1 cuillerée à café de sauce de soja, le sucre, le vin de riz ou le Xérès et la pâte de Maïzena. Laissez mariner. Coupez les tomates et les courgettes en morceaux. Émincez la ciboule.

2 Dans un wok préchauffé, faites rissoler le porc pendant 1 minute dans l'huile chaude. Retirez avec une écumoire, réservez et gardez au chaud.

3 Faites revenir les légumes pendant 2 minutes dans le wok. Ajoutez le sel, le porc, un peu de bouillon ou d'eau, si besoin, puis remuez pendant 1 minute. Versez le reste de sauce de soja, mélangez délicatement et servez.

Les Volailles

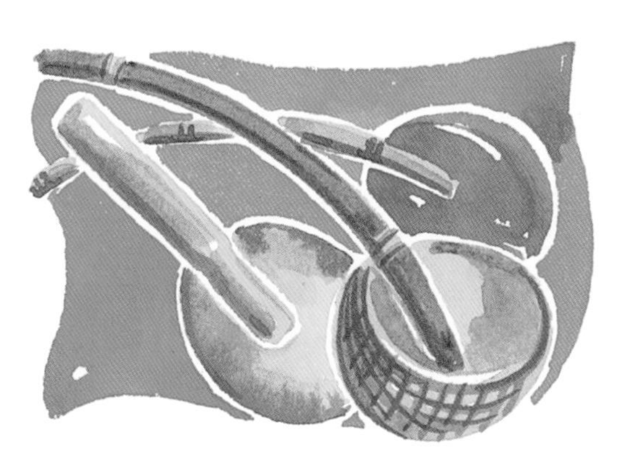

La préparation du poulet se prête à toutes les variations possibles – sauté au gingembre, rôti aux épices, braisé au lait de coco, grillé à la thaïe –, et ce chapitre rassemble également de nombreuses recettes pour accommoder d'autres volailles. Certains plats sont familiers, tels le Poulet teriyaki, *le* Chop Suey de canard au gingembre *ou le* Canard laqué à la pékinoise, *tandis que d'autres offrent des associations d'ingrédients inattendues. C'est par exemple le cas du* Canard piquant à la sauce au crabe et aux noix de cajou, *du* Poulet au curry vert et au coco, *ou des* Cailles laquées au miel et aux cinq épices.

Curry de poulet aux vermicelles de riz

La citronnelle donne son arôme et sa saveur citronnés à ce curry du Sud-Est asiatique.

INGRÉDIENTS

Pour 4 personnes

1 poulet d'environ 1,5 kg
225 g de patates douces
3 gousses d'ail écrasées
1 oignon finement émincé
4 cuil. à soupe d'huile végétale
2 à 3 cuil. à soupe de poudre de curry
1 cuil. à café de sel
1 cuil. à café de sucre
2 cuil. à café de sauce de poisson
60 cl de lait de coco
1 tige de citronnelle coupée en deux
350 g de vermicelles de riz, ramollis après avoir trempé dans de l'eau chaude
125 g de germes de soja, 2 ciboules finement émincées dans la diagonale, 2 piments rouges épépinés et finement émincés, et 8 à 10 feuilles de menthe, pour la décoration
1 citron coupé en quartiers, pour le service

1 Retirez la peau du poulet. Détaillez la chair en petits morceaux et réservez. Pelez les patates douces, puis coupez-les en gros cubes de la taille des morceaux de poulet.

2 Dans une grande casserole avec l'huile chaude, faites revenir l'ail et l'oignon jusqu'à ce que l'oignon ramollisse.

3 Ajoutez le poulet et laissez-le dorer. Incorporez la poudre de curry, le sel, le sucre, et mélangez intimement, avant de verser la sauce de poisson.

4 Ajoutez le lait de coco, puis la citronnelle. Laissez frémir 15 minutes.

5 Pendant ce temps, dans une poêle, faites rissoler les patates douces avec le reste d'huile chaude. Incorporez au poulet avec une écumoire, puis laissez cuire 10 à 15 minutes, afin que le poulet et les patates douces soient tendres.

6 Égouttez les vermicelles de riz et cuisez-les 3 à 5 minutes dans de l'eau bouillante. Égouttez-les. Répartissez-les dans des assiettes, avec le curry de poulet. Décorez de piments, de ciboule, de germes de soja, de feuilles de menthe, et accompagnez des quartiers de citron.

Poulet au gingembre et aux nouilles

Une harmonieuse alliance de gingembre, d'épices et de lait de coco parfume cette préparation, réalisable en quelques minutes. Quelques gouttes de sauce de poisson juste avant de servir lui donneront sa tonalité orientale.

INGRÉDIENTS

Pour 4 personnes

350 g de blancs de poulet sans la peau
225 g de courgettes
1 aubergine
2 cuil. à soupe d'huile végétale
5 cm de gingembre frais haché menu
6 ciboules émincées
2 cuil. à café de pâte de curry verte thaïe
40 cl de lait de coco
50 cl de bouillon de volaille
125 g de nouilles moyennes aux œufs
3 cuil. à soupe de coriandre fraîche ciselée
1 cuil. à soupe de jus de citron
sel et poivre noir du moulin
des feuilles de coriandre fraîche ciselée, pour la décoration

1 Détaillez le poulet en petits morceaux. Partagez les courgettes en deux dans la longueur et coupez-les grossièrement. Débitez l'aubergine en gros morceaux.

2 Faites chauffer l'huile dans une grande casserole et laissez dorer le poulet. Retirez-le avec une écumoire, puis posez-le sur du papier absorbant.

3 Ajoutez si besoin un peu d'huile avant de faire revenir le gingembre et les ciboules pendant 3 minutes. Incorporez les courgettes et laissez-les dorer pendant 2 à 3 minutes. Mélangez la pâte de curry pendant 1 minute.

4 Versez le lait de coco, le bouillon, ajoutez l'aubergine, le poulet, et laissez frémir 10 minutes. Incorporez les nouilles, puis poursuivez la cuisson pendant 5 minutes, jusqu'à ce que le poulet soit cuit et les nouilles tendres. Mélangez la coriandre, le jus de citron, rectifiez l'assaisonnement. Servez aussitôt, décoré de coriandre ciselée.

Poulet sauté aux épices

Ce poulet mariné dans un mélange d'épices est ensuite sauté à la poêle avec des légumes. Vous pourrez adoucir sa saveur avec un peu de crème fraîche ou de yaourt, et le servir chaud ou froid.

INGRÉDIENTS

Pour 4 personnes

1/2 cuil. à café de curcuma en poudre
1/2 cuil. à café de gingembre en poudre
1 cuil. à café de sel
1 cuil. à café de poivre noir du moulin
2 cuil. à café de cumin en poudre
1 cuil. à soupe de coriandre en poudre
1 cuil. à soupe de sucre en poudre
450 g de blancs de poulet sans la peau
1 botte de ciboules
4 bâtons de céleri
2 poivrons rouges épépinés
1 poivron jaune épépiné
175 g de courgettes
175 g de pois mange-tout ou de pois gourmands
huile de tournesol, pour la friture
1 cuil. à soupe de miel
1 cuil. à soupe de jus de citron vert

1 Mélangez intimement le curcuma, le gingembre, le sel, le poivre, le cumin, la coriandre et le sucre dans un saladier.

2 Détaillez le poulet en petits morceaux. Ajoutez-le dans la préparation aux épices et enrobez-le soigneusement. Réservez.

3 Préparez les légumes. Débitez les ciboules, le céleri et les poivrons en fins bâtonnets de 5 cm de long. Coupez les courgettes en rondelles, en diagonale, épluchez les pois mange-tout ou les pois gourmands.

4 Faites chauffer 2 cuillerées à soupe d'huile dans un wok préchauffé ou une grande sauteuse. Faites rissoler le poulet en plusieurs fois, en ajoutant si besoin de l'huile. Retirez-le de la poêle et gardez-le au chaud.

5 Versez un peu d'huile dans la poêle. Faites chauffer les ciboules, le céleri, les poivrons et les courgettes à feu moyen 8 à 10 minutes, jusqu'à ce qu'ils commencent à ramollir et à dorer. Ajoutez les mange-tout ou les pois gourmands et poursuivez la cuisson 2 minutes.

6 Remettez le poulet dans la poêle, avec le miel et le jus de citron. Remuez 2 minutes, servez aussitôt.

Poulet épicé en cocotte

Traditionnellement, ce mode de cuisson s'effectuait dans une cocotte en terre émaillée, sur les braises, permettant au liquide de frémir sous l'action de la chaleur.

INGRÉDIENTS

Pour 4 à 6 personnes

1 poulet d'1,5 kg
3 cuil. à soupe de noix de coco fraîchement râpée
2 cuil. à soupe d'huile végétale
2 échalotes ou 1 petit oignon hachés menu
2 gousses d'ail écrasées
5 cm de citronnelle
2,5 cm de gingembre frais ou de *galanga* finement émincés
2 petits piments verts frais épépinés et finement hachés
1 cm de pâte de crevettes ou 1 cuil. à soupe de sauce de poisson *(nuoc-mâm)*
40 cl de lait de coco en conserve
30 cl de bouillon de volaille
2 feuilles de lime (facultatif)
1 cuil. à soupe de sucre
1 cuil. à soupe de vinaigre de riz ou de vinaigre de vin blanc
2 tomates bien mûres et 2 cuil. à soupe de feuilles de coriandre fraîche ciselées, pour la décoration

1 Pour couper le poulet, sectionnez les cuisses et les ailes avec un couteau tranchant. Retirez la peau des morceaux et séparez les pilons des hauts-de-cuisses. Détachez la partie inférieure de la carcasse avec des ciseaux de cuisine. Désossez le plus possible, pour faciliter la consommation du plat. Détaillez le blanc en quatre et réservez.

2 Faites dorer la noix de coco dans un wok non graissé. Ajoutez l'huile végétale, les échalotes ou l'oignon, l'ail, la citronnelle, le gingembre ou le *galanga,* les piments et la pâte de crevettes ou la sauce de poisson. Remuez doucement pour libérer les parfums. Incorporez les morceaux de poulet dans le wok et laissez dorer 2 à 3 minutes avec les épices.

3 Filtrez le lait de coco et réservez la partie solide. Ajoutez le liquide dans le wok, avec le bouillon de volaille, les feuilles de lime, le sucre et le vinaigre. Mettez le tout dans une cocotte en terre émaillée, couvrez et faites cuire 50 à 55 minutes dans le four préchauffé à 180 °C/thermostat 4, jusqu'à ce que le poulet soit tendre. Incorporez la partie solide du lait de coco, puis enfournez de nouveau. Laissez frémir et épaissir pendant 5 à 10 minutes.

4 Mettez les tomates dans un saladier, couvrez-les d'eau bouillante, puis pelez-les. Coupez les tomates en deux, épépinez-les et détaillez-les en gros cubes. Ajoutez les tomates dans la préparation et saupoudrez de coriandre avant de servir.

Poulet au curry vert et au coco

La préparation de la pâte de curry verte selon la recette ci-dessous est longue. Du porc, des crevettes et du poisson peuvent remplacer le poulet, en ajustant les temps de cuisson.

INGRÉDIENTS

Pour 4 à 6 personnes

1 poulet d'1 kg environ
60 cl de lait de coco en boîte
45 cl de bouillon de volaille
2 feuilles de lime
350 g de patates douces grossièrement hachées
350 g de potiron débarrassé de ses graines et grossièrement coupé
115 g de haricots verts coupés en deux
1 petit bouquet de coriandre fraîche ciselée, pour la décoration

La pâte de curry verte

2 cuil. à café de graines de coriandre
1/2 cuil. à café de graines de cumin ou de carvi
3 à 4 piments verts frais moyens hachés menu
4 cuil. à café de sucre
2 cuil. à café de sel
7,5 cm de citronnelle
2 cm de *galanga* ou de gingembre frais hachés menu
3 gousses d'ail écrasées
4 échalotes ou 1 oignon moyen finement hachés
2 cm de pâte de crevettes
3 cuil. à soupe de coriandre fraîche, finement ciselée
3 cuil. à soupe de menthe fraîche finement ciselée
1/2 cuil. à café de noix de muscade en poudre
2 cuil. à soupe d'huile végétale

1 Pour préparer le poulet, coupez les cuisses, puis séparez les pilons des hauts-de-cuisses. Détachez la partie inférieure de la carcasse en sectionnant au niveau des côtes avec des ciseaux de cuisine. Partagez le blanc en deux, puis encore en deux. Retirez la peau des morceaux et jetez-la.

2 Filtrez le lait de coco dans un saladier, en réservant la partie solide. Mettez le poulet dans une cocotte en émail ou en inox, versez la partie liquide du lait de coco et le bouillon. Ajoutez les feuilles de lime, puis laissez frémir 40 minutes à découvert. Sortez le poulet et laissez-le refroidir. Réservez le jus de cuisson. Séparez la chair des os et réservez.

3 Pour préparer la pâte de curry, faites griller les graines de coriandre et de cumin ou de carvi dans un wok non graissé. Broyez les piments, le sucre et le sel dans un mortier avec un pilon. Écrasez sous forme de pâte lisse les graines du wok avec la pâte de piment, la citronnelle, le *galanga* ou le gingembre, l'ail, les échalotes ou l'oignon. Incorporez la pâte de crevettes, les feuilles de coriandre, la menthe, la noix de muscade et l'huile.

4 Versez dans un wok 25 cl du jus de cuisson réservé. Ajoutez 4 à 5 cuillerées à soupe de pâte de curry. Faites bouillir rapidement jusqu'à absorption complète du liquide. Incorporez le reste du jus de cuisson, la chair du poulet, les patates douces, le potiron et les haricots. Laissez frémir 10 à 15 minutes, jusqu'à ce que les patates soient cuites. Mélangez la partie solide du lait de coco et laissez épaissir à feu doux. Servez décoré de coriandre.

Poulet au lait de coco

Dans la recette traditionnelle, on fait d'abord rissoler le poulet à la poêle, mais il est préférable de le faire rôtir au four. Contrairement à de nombreuses spécialités indonésiennes, la sauce *ayam opor* est blanche car elle ne contient ni piments ni curcuma. Ce mets se sert accompagné d'oignons frits.

INGRÉDIENTS

Pour 4 personnes

1 poulet d'1,5 kg ou 4 quarts de poulet
4 gousses d'ail
1 oignon émincé
8 amandes
1 cuil. à soupe de graines de coriandre grillées, ou 1 cuil. à café de coriandre en poudre
3 cuil. à soupe d'huile
2,5 cm de *lengkwas* frais pelé et écrasé
2 bâtons de citronnelle (avec la partie inférieure écrasée)
3 feuilles de lime
2 feuilles de laurier
1 cuil. à café de sucre
60 cl de lait de coco
sel
du riz cuit à l'eau et des oignons frits, pour le service

1 Préchauffez le four à 190 °C/ thermostat 5. Coupez le poulet en 4 ou 8 morceaux, salez-le. Faites-le cuire 25 à 30 minutes au four, dans un plat huilé. Pendant ce temps, préparez la sauce.

2 Écrasez l'ail, l'oignon, les amandes et la coriandre sous forme de pâte fine dans un mixer. Faites revenir dans un wok avec de l'huile chaude, sans laisser dorer.

3 Ajoutez les morceaux de poulet avec le *lengkwas,* la citronnelle, les feuilles de lime et de laurier, le sucre, le lait de coco et le sel. Mélangez soigneusement pour enrober le poulet de sauce.

4 Portez à ébullition, puis laissez frémir 30 à 40 minutes, à découvert, jusqu'à ce que le poulet soit tendre et que le lait de coco réduise et épaississe. Remuez de temps en temps.

5 Retirez le *lengkwas* et la citronnelle avant de servir avec du riz nature, parsemé d'oignons frits.

Poulet teriyaki

Un simple bol de riz nature complétera à merveille ce délicat plat de poulet japonais.

INGRÉDIENTS

Pour 4 personnes

450 g de blancs de poulet sans la peau
des morceaux d'orange et quelques feuilles de cresson, pour la décoration

La marinade
1 cuil. à café de sucre
1 cuil. à soupe de saké
1 cuil. à soupe de Xérès sec
2 cuil. à soupe de sauce de soja foncée
le zeste râpé d'1 orange

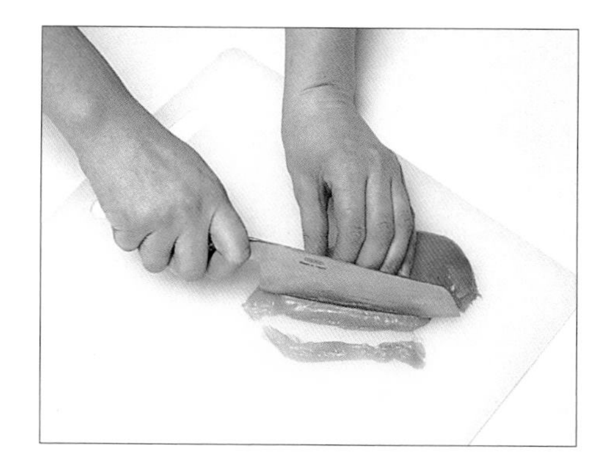

1 Émincez le poulet en longues lamelles avec un couteau bien affûté.

2 Pour préparer la marinade, mélangez dans un bol le sucre, le saké, le Xérès, la sauce de soja et le zeste d'orange râpé.

3 Versez la préparation sur le poulet, dans un saladier, et laissez mariner 15 minutes.

4 Mettez le poulet et la marinade dans un wok préchauffé, puis faites revenir pendant 4 à 5 minutes. Servez décoré de morceaux d'orange et de feuilles de cresson.

Émincé de poulet au céleri

Le moelleux du poulet contraste avec la texture croustillante du céleri dans ce mets que les piments rouges enrichissent de leur couleur et de leur saveur.

INGRÉDIENTS

Pour 4 personnes

275 g de blancs de poulet sans la peau
1 cuil. à café de sel
1/2 blanc d'œuf légèrement battu
2 cuil. à café de pâte de Maïzena
50 cl d'huile végétale
1 cœur de céleri coupé en julienne
1 à 2 piments rouges frais épépinés et coupés en julienne
1 ciboule hachée menu
un peu de gingembre frais coupé en julienne
1 cuil. à café de sucre roux
1 cuil. à soupe de vin de riz chinois ou de Xérès sec
quelques gouttes d'huile de sésame

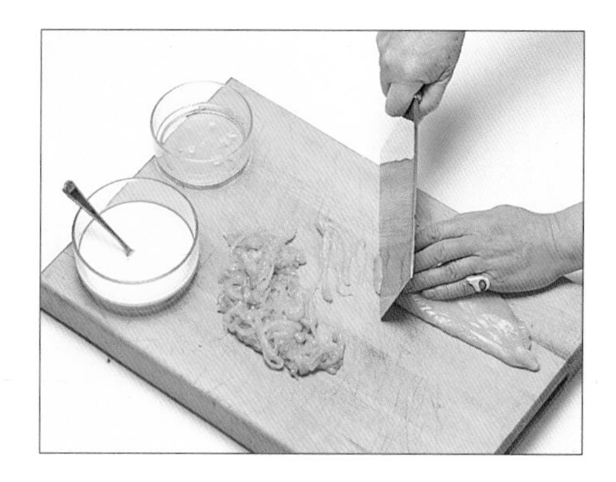

1 Émincez finement le poulet avec un couteau bien affûté. Mélangez dans un saladier une pincée de sel, le blanc d'œuf et la pâte de Maïzena. Ajoutez le poulet.

2 Faites chauffer l'huile dans un wok préchauffé, versez la préparation et remuez pour séparer les morceaux de poulet. Lorsqu'ils blanchissent, retirez-les avec une écumoire et égouttez-les. Gardez-les au chaud.

3 Jetez l'huile du wok, à l'exception de 2 cuillerées à soupe. Faites revenir le céleri, les piments, la ciboule et le gingembre pendant 1 minute. Ajoutez le poulet, le reste de sel, le sucre, le vin de riz ou le Xérès. Laissez chauffer 1 minute avant de verser l'huile de sésame. Servez chaud.

Poulet aux légumes chinois

Cette spécialité peut constituer un excellent plat familial, accompagné de riz ou de nouilles, ou être servi avec d'autres préparations à l'occasion d'un dîner.

INGRÉDIENTS

Pour 4 personnes

275 g de blancs de poulet sans la peau
1 cuil. à café de sel
1/2 blanc d'œuf légèrement battu
2 cuil. à café de pâte de Maïzena
4 cuil. à soupe d'huile végétale
6 à 8 petits champignons shiitake séchés, ayant trempé dans de l'eau chaude
115 g de pousses de bambou en boîte, émincées et égouttées
115 g de pois mange-tout
1 ciboule hachée menu
quelques petits morceaux de gingembre frais
1 cuil. à café de sucre roux
1 cuil. à soupe de sauce de soja claire
1 cuil. à soupe de vin de riz chinois ou de Xérès sec
quelques gouttes d'huile de sésame

1 Détaillez le poulet en petits morceaux. Mettez-le dans un saladier et mélangez-le avec une pincée de sel, le blanc d'œuf et la pâte de Maïzena.

2 Faites chauffer l'huile dans un wok préchauffé, ajoutez le poulet et faites revenir pendant 30 secondes à feu moyen, puis retirez-le avec une écumoire et gardez-le au chaud.

3 Incorporez les légumes dans le wok et remuez à feu vif pendant 1 minute. Mélangez le reste de sel, le sucre, le poulet. Versez ensuite la sauce de soja, le vin de riz ou le Xérès sec, et laissez chauffer pendant 1 minute. Arrosez d'huile de sésame avant de servir.

Foies de poulet à la thaïe

Riche en fer, le foie de poulet est très prisé en Thaïlande, notamment dans le nord-est. Ce mets peut être servi en entrée avec une salade, ou comme plat principal avec du riz parfumé.

INGRÉDIENTS

Pour 4 à 6 personnes

3 cuil. à soupe d'huile végétale
450 g de foies de poulet parés
4 échalotes hachées
2 gousses d'ail hachées
1 cuil. à soupe de riz grillé moulu
3 cuil. à soupe de sauce de poisson
3 cuil. à soupe de jus de citron vert
1 cuil. à café de sucre
2 tiges de citronnelle écrasées
et finement hachées
2 cuil. à soupe de coriandre hachée
10 à 12 feuilles de menthe et 2 piments
rouges hachés, pour la décoration

1 Faites chauffer l'huile dans un wok ou une grande poêle. Posez les foies et laissez-les rissoler pendant 4 minutes à feu vif, jusqu'à ce qu'ils soient dorés et cuits, mais encore roses à l'intérieur.

2 Mettez les foies dans un coin de la poêle pour ajouter les échalotes et l'ail. Faites blondir pendant 1 à 2 minutes.

3 Ajoutez le riz, la sauce de poisson, le jus de citron, le sucre, la citronnelle et la coriandre. Mélangez soigneusement. Retirez du feu et servez décoré de feuilles de menthe et de piments.

Poulet grillé

Le poulet grillé se vend partout en Thaïlande, sur les étals des marchands ambulants comme sur les stades et les plages.

INGRÉDIENTS

Pour 4 à 6 personnes

1 poulet d'environ 1,5 kg
détaillé en 8 à 10 morceaux
2 citrons verts coupés en morceaux,
et 2 piments rouges finement émincés,
pour la décoration

La marinade

2 tiges de citronnelle hachées
2,5 cm de gingembre frais
6 gousses d'ail
4 échalotes
1/2 botte de coriandre avec les racines
1 cuil. à soupe de sucre de palme
12 cl de lait de coco
2 cuil. à soupe de sauce de poisson
2 cuil. à soupe de sauce de soja

1 Mixez tous les ingrédients de la marinade dans un mixer, jusqu'à obtention d'une consistance lisse.

2 Posez les morceaux de poulet dans un plat et versez la marinade dessus. Laissez mariner au moins 4 heures, ou toute la nuit, dans un endroit frais.

3 Faites griller le poulet sur des braises rouges, ou posez-le sur une grille, dans la lèchefrite, et faites-le cuire 20 à 30 minutes au four à 200 °C/thermostat 6, jusqu'à ce qu'il soit doré. Retournez-le de temps en temps et badigeonnez-le de marinade.

4 Décorez de quartiers de citron et de piments rouges, finement émincés.

Chop Suey de canard au gingembre

Vous pouvez également utiliser du poulet dans cette recette, mais le canard apporte une saveur plus contrastée.

INGRÉDIENTS

Pour 4 personnes

2 magrets de canard d'environ 175 g chacun
3 cuil. à soupe d'huile de tournesol
1 petit œuf légèrement battu
1 gousse d'ail
175 g de germes de soja
2 tranches de gingembre frais coupé en julienne
2 cuil. à café de sauce d'huître
2 ciboules coupées en julienne
sel et poivre noir du moulin

La marinade

1 cuil. à soupe de miel liquide
2 cuil. à café de vin de riz chinois ou de Xérès sec
2 cuil. à café de sauce de soja claire
2 cuil. à café de sauce de soja foncée

1 Retirez le gras et la peau des magrets, coupez-les en fines tranches et mettez-les dans un saladier. Mélangez les ingrédients de la marinade, versez sur le canard, couvrez et laissez mariner toute la nuit au réfrigérateur.

2 Le lendemain, préparez une omelette. Chauffez 1 cuillerée à soupe d'huile dans une petite poêle chaude. Versez l'œuf et faites-le cuire en omelette. Laissez-la refroidir avant de la découper en lamelles. Mettez le canard à égoutter et jetez la marinade.

3 Écrasez l'ail avec un couteau. Faites chauffer 2 cuillerées à café d'huile dans un wok préchauffé. Faites revenir l'ail pendant 30 secondes, en appuyant dessus pour libérer l'arôme, puis jetez-le. Ajoutez les germes de soja avec l'assaisonnement et remuez 30 secondes. Posez-les sur un plat chaud, après les avoir égouttés.

4 Faites chauffer le reste d'huile dans un wok préchauffé et laissez rissoler le canard pendant 3 minutes. Ajoutez le gingembre et la sauce d'huître avant de poursuivre la cuisson pendant 2 minutes. Incorporez les germes de soja, l'œuf, les ciboules, faites chauffer rapidement, puis servez.

Canard au sésame et à la mandarine

Le canard est une viande grasse, mais ce mode de cuisson permet de remédier à cet inconvénient. Si vous retirez toute la peau, vous obtiendrez une viande trop sèche. Pour réaliser cette recette, vous avez le choix entre les cuisses et les magrets, plus onéreux.

INGRÉDIENTS

Pour 4 personnes

4 cuisses ou magrets de canard désossés
2 cuil. à soupe de sauce de soja claire
3 cuil. à soupe de miel liquide
1 cuil. à soupe de graines de sésame
4 mandarines
1 cuil. à café de Maïzena
sel et poivre noir du moulin
quelques légumes variés, pour le service

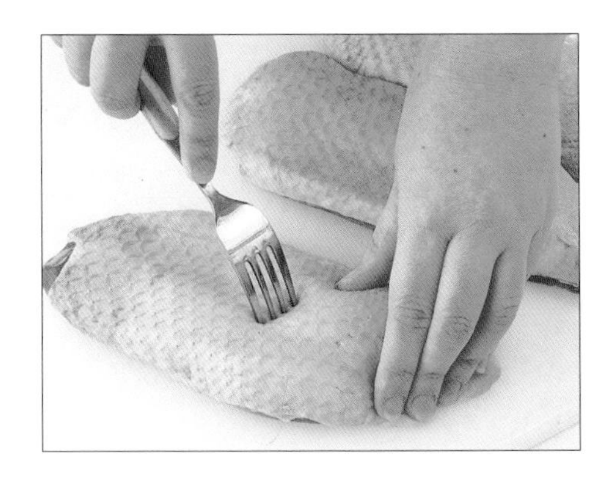

1 Piquez la peau du canard avec une fourchette. Si vous avez choisi des magrets, incisez la peau en diagonale avec un petit couteau pointu.

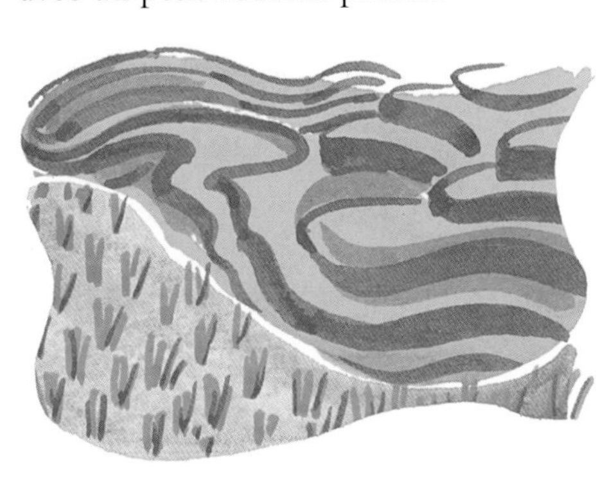

2 Posez le canard sur une grille, dans la lèchefrite, et faites cuire 1 heure dans le four préchauffé à 180 °C/ thermostat 4. Mélangez 1 cuillerée à soupe de sauce de soja avec 2 cuillerées à soupe de miel, puis badigeonnez-en le canard. Saupoudrez de graines de sésame. Poursuivez la cuisson pendant 15 à 20 minutes, jusqu'à ce que le canard soit doré.

3 Pendant ce temps, râpez le zeste d'1 mandarine et pressez le jus de 2. Mélangez le zeste, le jus, la Maïzena, puis ajoutez le reste de sauce de soja et de miel. Faites chauffer, en remuant, jusqu'à ce que la sauce épaississe. Assaisonnez. Pelez et coupez en tranches les autres mandarines. Servez le canard avec les tranches de mandarine et la sauce, le tout accompagné de légumes variés.

Canard laqué à la pékinoise

Ce mets constitue la pièce maîtresse de tout festin chinois. Il n'est pas difficile à réussir – le secret consistant à choisir un jeune canard, pas trop gras. Vérifiez également que la peau est totalement sèche avant de commencer à cuisiner, de manière à ce qu'elle devienne bien croustillante.

INGRÉDIENTS

Pour 6 à 8 personnes

2 kg de jeune canard prêt à cuire
2 cuil. à soupe de miel ou de sucre de malt, dilués dans 15 cl d'eau chaude

La sauce à canard

2 cuil. à soupe d'huile de sésame
6 à 8 cuil. à soupe de pâte de soja jaune écrasée
2 à 3 cuil. à soupe de sucre roux
20 à 24 crêpes fines, 6 à 8 ciboules détaillées en fines lanières, et 1/2 concombre coupé en petits bâtonnets, pour le service

CONSEIL

Vous pouvez remplacer la sauce à canard par de la sauce aux prunes, en vente dans les épiceries asiatiques et les grands supermarchés. La sauce à canard s'achète également toute prête.

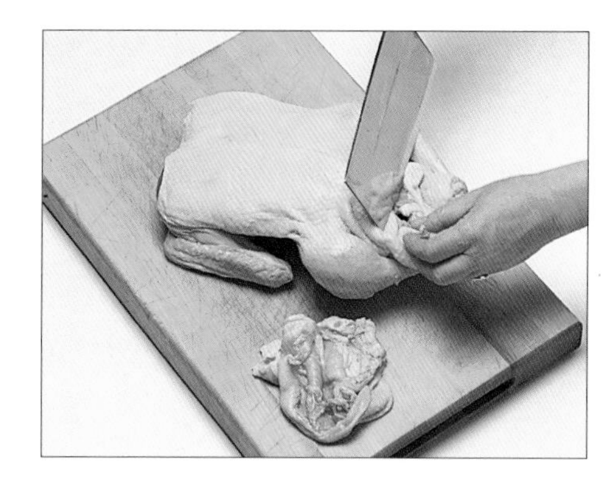

1 Retirez éventuellement les restes de plumes et boules de graisse à l'intérieur du canard. Ébouillantez la volaille pendant 2 à 3 minutes pour refermer les pores. Cette opération évite que la graisse sorte par la peau durant la cuisson. Égouttez, puis essuyez soigneusement le canard.

2 Badigeonnez entièrement le canard de miel ou de sucre de malt, puis suspendez-le dans un endroit frais et laissez-le 4 à 5 heures.

3 Posez le canard, la poitrine sur le dessus, sur une grille, dans la lèchefrite, et faites cuire environ 1 heure et 30 minutes dans le four préchauffé à 200 °C/thermostat 6, sans arroser ni retourner.

4 Pendant ce temps, préparez la sauce. Faites chauffer l'huile de sésame dans une petite casserole. Ajoutez la pâte de soja jaune et le sucre roux. Remuez, puis laissez refroidir.

5 Pour servir, retirez la peau par petits morceaux avec un couteau bien affûté, puis détaillez la viande en tranches minces. Dressez la peau et la viande sur des assiettes séparées.

6 Ouvrez 1 crêpe sur chaque assiette, déposez 1 cuillerée à café de sauce au milieu, avec un peu de ciboule et de concombre. Couvrez avec 2 à 3 morceaux de peau et de viande. Enroulez pour déguster.

Canard croustillant aux aromates

Comme le *Canard laqué à la pékinoise,* ce plat se sert souvent avec des crêpes, des ciboules, du concombre et de la sauce à canard, mais le mode de cuisson est différent. Si le résultat est tout aussi croustillant, les parfums délicieux donnent à ce mets une note particulièrement raffinée. La sauce aux prunes peut remplacer la sauce à canard.

INGRÉDIENTS

Pour 6 à 8 personnes

2 kg de jeune canard prêt à cuire
2 cuil. à café de sel
5 gousses entières d'anis étoilé
1 cuil. à soupe de grains de poivre du Sichuan
1 cuil. à café de clous de girofle
2 bâtons de cannelle
3 ciboules
3 tranches de gingembre frais non pelé
5 à 6 cuil. à soupe de vin de riz chinois ou de Xérès sec
huile végétale, pour la friture
quelques feuilles de laitue, 20 à 24 crêpes fines, 12 cl de sauce à canard, 6 à 8 ciboules coupées en fines lanières, 1/2 concombre coupé en petits bâtonnets, pour le service

1 Coupez les ailes du canard. Sectionnez le corps en deux par la colonne vertébrale.

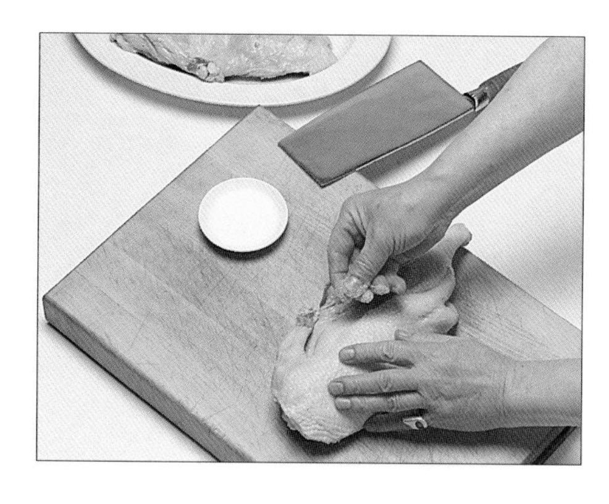

2 Frottez les deux moitiés de sel, en le faisant pénétrer à l'intérieur.

3 Posez le canard sur un plat avec l'anis étoilé, le poivre, les clous de girofle, la cannelle, les ciboules, le gingembre, le vin de riz ou le Xérès, puis laissez mariner au moins 4 à 6 heures.

4 Mettez le canard et la marinade dans un cuiseur à vapeur posé sur un wok rempli à moitié d'eau bouillante, et faites cuire à feu vif pendant 3 à 4 heures (davantage, si possible). Laissez refroidir le canard au moins 5 à 6 heures hors du cuiseur. Il doit être suffisamment froid et sec pour que la peau devienne croustillante.

5 Faites chauffer l'huile dans un wok préchauffé, jusqu'à ce qu'elle fume. Posez les morceaux de canard, la peau sur le dessous, puis laissez dorer pendant 5 à 6 minutes, en les retournant une seule fois au dernier moment.

6 Sortez du wok, égouttez, séparez la viande des os, puis dressez sur des feuilles de laitue. Pour servir, enroulez un morceau de canard dans chaque crêpe avec un peu de sauce, de ciboule et de concombre. Dégustez avec les doigts.

Canard à la sauce au crabe et aux noix de cajou

Ce plat épicé s'accompagnera à merveille de riz thaïlandais, légèrement parfumé.

INGRÉDIENTS

Pour 4 à 6 personnes

3 kg de canard
1,25 l d'eau
2 feuilles de lime
1 cuil. et 1/2 à café de sel
2 à 3 petits piments rouges frais épépinés et hachés menu
5 cuil. à café de sucre
2 cuil. à soupe de graines de coriandre
1 cuil. à café de graines de carvi
115 g de noix de cajou crues hachées
7,5 cm de citronnelle
2,5 cm de *galanga* ou de gingembre frais finement hachés
2 gousses d'ail écrasées
4 échalotes ou 1 oignon moyen hachés menu
2 cm de pâte de crevettes
25 g de racine ou de tige de coriandre finement hachée
175 g de chair de crabe blanche surgelée, décongelée
50 g de crème de coco
1 petit bouquet de coriandre fraîche ciselée, pour la décoration
du riz cuit à l'eau, pour le service

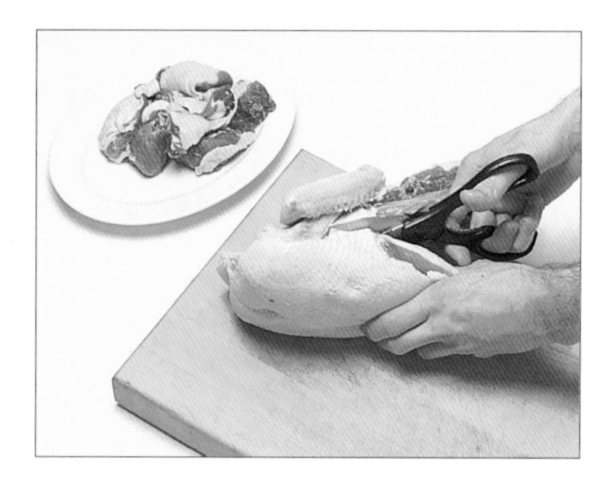

1 Détachez les cuisses du canard, séparez les pilons des hauts-de-cuisses, puis sectionnez chaque morceau en deux. Coupez la moitié inférieure du canard avec des ciseaux de cuisine. Partagez la poitrine en deux par le milieu, puis chaque moitié en 4 morceaux.

2 Réunissez la chair et les os dans un faitout et couvrez d'eau. Ajoutez les feuilles de lime et 1 cuillerée à café de sel, portez à ébullition, puis laissez frémir 30 à 45 minutes, jusqu'à ce que la viande soit tendre. Jetez les os. Dégraissez le bouillon et réservez.

3 Broyez les piments, le sucre et le reste de sel avec un mixer ou un mortier et un pilon. Faites griller les graines de coriandre, de carvi et les noix de cajou pendant 1 à 2 minutes dans un wok préchauffé, non graissé, pour libérer les parfums. Ajoutez les graines et les noix dans la préparation aux piments, avec la citronnelle, le *galanga* ou le gingembre, l'ail et les échalotes ou l'oignon. Réduisez sous forme de pâte lisse. Incorporez la pâte de crevettes, la racine ou la tige de coriandre, et mixez.

4 Mouillez avec 25 cl de bouillon pour obtenir une pâte lisse.

5 Ajoutez la préparation au canard, dans le faitout, et mélangez délicatement. Portez à ébullition, puis laissez frissonner 20 à 25 minutes.

6 Incorporez la chair de crabe, la crème de coco, et faites chauffer à feu doux. Dressez sur un plat chaud, décorez de coriandre ciselée et servez avec du riz nature.

Dinde sautée aux pois mange-tout

Généralement fade, la dinde s'enrichit ici d'une délicieuse marinade, tandis que les noix de cajou apportent leur texture contrastée.

INGRÉDIENTS

Pour 4 personnes

2 cuil. à soupe d'huile de sésame
6 cuil. à soupe de jus de citron
1 gousse d'ail écrasée
1 cm de gingembre frais râpé
1 cuil. à café de miel liquide
450 g de filets de dinde sans la peau et détaillés en lamelles
115 g de pois mange-tout
2 cuil. à soupe d'huile d'arachide
50 g de noix de cajou
6 ciboules détaillées en longues sections
225 g de châtaignes d'eau en boîte, égouttées et finement émincées
sel
du riz au safran, pour le service

1 Mélangez l'huile de sésame, le jus de citron, l'ail, le gingembre et le miel dans un plat non métallique. Ajoutez la dinde et remuez. Couvrez, puis laissez mariner 3 à 4 heures.

2 Blanchissez les pois mange-tout pendant 1 minute dans l'eau bouillante salée. Égouttez-les, refroidissez-les sous l'eau courante et réservez.

3 Égouttez les morceaux de dinde, en réservant la marinade. Faites chauffer l'huile d'arachide dans un wok préchauffé ou une grande poêle, puis laissez dorer les noix de cajou pendant 1 à 2 minutes. Retirez-les avec une écumoire et réservez.

4 Ajoutez la dinde dans le wok et faites rissoler pendant 3 à 4 minutes. Incorporez les ciboules, les pois mange-tout, les châtaignes d'eau et la marinade. Laissez chauffer quelques minutes, jusqu'à ce que la dinde soit tendre et que la sauce frissonne. Mélangez avec les noix de cajou, avant de servir accompagné de riz au safran.

Cailles laquées au miel et aux cinq épices

Malgré sa petite taille, la caille est très charnue. Comptez environ un oiseau par personne.

INGRÉDIENTS

Pour 4 personnes

4 cailles prêtes à rôtir
2 gousses d'anis étoilé
2 cuil. à café de cannelle en poudre
2 cuil. à café de graines de fenouil
2 cuil. à café de poivre du Sichuan en poudre
1 pincée de clous de girofle en poudre
1 petit oignon haché menu
1 gousse d'ail écrasée
4 cuil. à soupe de miel liquide
2 cuil. à soupe de sauce de soja foncée
2 ciboules hachées grossièrement, le zeste d'1 mandarine détaillé en lanières, des radis et des carottes sculptés en forme de fleurs, pour la décoration
quelques feuilles de bananier, pour le service

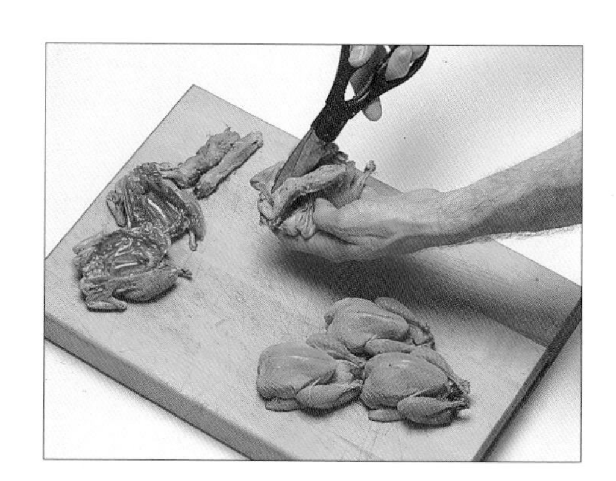

1 Retirez la colonne vertébrale des cailles en coupant de part et d'autre avec des ciseaux.

2 Aplatissez les oiseaux avec la paume de la main et maintenez-les par deux brochettes de bambou.

3 Broyez l'anis étoilé, la cannelle, les graines de fenouil, le poivre et les clous de girofle dans un mortier, avec un pilon. Ajoutez l'oignon, l'ail, le miel, la sauce de soja, puis mélangez.

4 Posez les cailles sur un plat, couvrez de préparation aux épices et laissez mariner au moins 8 heures.

5 Faites cuire les cailles 7 à 8 minutes de chaque côté sous le gril préchauffé ou sur un barbecue, en arrosant de marinade.

6 Dressez les cailles sur les feuilles de bananier et décorez de ciboule, de zeste de mandarine, de radis et de carottes sculptés en forme de fleurs.

Les Légumes

Des légumes familiers cuisinés de manière insolite, des préparations à base d'ingrédients exotiques peuvent compléter des plats occidentaux, grillés ou rôtis, ou figurer parmi les spécialités d'un repas asiatique. La cuisson au wok convient parfaitement aux légumes qui conservent ainsi leur saveur, leur texture, leur couleur et toute leur richesse nutritive. Les pages qui suivent regroupent des recettes pour tous les goûts : savoureux Pak choi au citron vert, Légumes sautés à la chinoise, *réunissant une variété d'ingrédients croquants et colorés,* Champignons farcis à la chinoise, *délicieux en-cas végétarien, sans oublier les* Choux de Bruxelles à la chinoise !

Mooli, betterave et carotte sautés

Cette sélection de légumes croquants compose un plat coloré et parfumé.

INGRÉDIENTS

Pour 4 personnes

25 g de pignons de pin
115 g de mooli épluché
115 g de betterave crue épluchée
1 grosse carotte épluchée
1 cuil. et 1/2 à soupe d'huile végétale
le jus d'1 orange
2 cuil. à soupe de coriandre fraîche ciselée
sel et poivre noir du moulin

1 Faites dorer les pignons de pin dans un wok préchauffé. Retirez-les et réservez.

2 Détaillez le mooli, la betterave et la carotte en longs bâtonnets.

3 Dans le wok, faites revenir les légumes pendant 2 à 3 minutes dans l'huile chaude. Retirez-les et réservez.

4 Versez le jus d'orange dans le wok et laissez frémir 2 minutes. Retirez-le et gardez-le au chaud.

5 Disposez les légumes sur une assiette chaude, saupoudrez-les de coriandre, salez et poivrez.

6 Arrosez de jus d'orange et parsemez de pignons de pin avant de servir.

Pak choi au citron vert

Dans cette recette thaïe, l'assaisonnement à la noix de coco se prépare avec de la sauce de poisson, mais les végétariens peuvent la remplacer par une sauce aux champignons. Attention aux piments rouges !

INGRÉDIENTS

Pour 4 personnes

6 ciboules
2 pak choi
3 piments rouges frais détaillés en fines lanières
2 cuil. à soupe d'huile
4 gousses d'ail finement émincées
1 cuil. à soupe de cacahuètes écrasées

L'assaisonnement

1 à 2 cuil. à soupe de sauce de poisson
2 cuil. à soupe de jus de citron vert
25 cl de lait de coco

1 Pour préparer la sauce, mélangez la sauce de poisson et le jus de citron, puis versez le lait de coco.

2 Épluchez les ciboules, coupez-les en petits morceaux, en diagonale, y compris les extrémités des pousses. Séparez le blanc du vert.

3 Détaillez le pak choi en julienne avec un grand couteau bien affûté.

4 Dans un wok préchauffé, faites revenir les piments pendant 2 à 3 minutes dans l'huile chaude, puis posez-les sur une assiette avec une écumoire. Laissez blondir l'ail pendant 30 à 60 secondes, mettez-le également sur l'assiette. Faites sauter le blanc des ciboules pendant 2 à 3 minutes, puis incorporez le vert et laissez cuire encore 1 minute. Ajoutez sur l'assiette.

5 Plongez le pak choi dans une grande casserole d'eau bouillante salée. Remuez deux fois, puis égouttez-le aussitôt. Mettez-le dans un grand saladier, versez l'assaisonnement au coco et mélangez bien. Dressez sur un plat, saupoudrez de cacahuètes et de préparation aux piments avant de servir.

Légumes sautés aux pâtes

Les pâtes remplacent les habituelles nouilles dans ce plat coloré d'inspiration chinoise, facile à préparer.

INGRÉDIENTS

Pour 4 personnes

1 carotte moyenne
175 g de petites courgettes
175 g de haricots verts
175 g de petits épis de maïs
450 g de pâtes plates (tagliatelles)
2 cuil. à soupe d'huile de maïs, plus quelques gouttes pour les pâtes
1 cm de gingembre frais haché menu
2 gousses d'ail finement hachées
6 cuil. à soupe de pâte de soja jaune
6 ciboules détaillées en sections de 2,5 cm de long
2 cuil. à soupe de Xérès sec
1 cuil. à café de graines de sésame grillées
sel

1 Coupez la carotte et les courgettes en rondelles. Détaillez les haricots en diagonale. Partagez les épis de maïs en deux, en diagonale.

2 Faites cuire les pâtes selon les instructions du fabricant. Égouttez-les, puis rincez-les sous l'eau chaude. Mélangez-les avec un peu d'huile pour éviter qu'elles collent.

3 Dans un wok préchauffé ou une poêle, avec 2 cuillerées à soupe d'huile, faites revenir le gingembre et l'ail 30 secondes. Ajoutez les carottes, les haricots, le maïs et les courgettes.

4 Remuez pendant 3 à 4 minutes, avant d'incorporer la pâte de soja jaune, puis, 2 minutes après, les ciboules, le Xérès et les pâtes. Laissez chauffer 1 minute. Saupoudrez de graines de sésame et servez aussitôt.

Légumes sautés à la chinoise

Ce plat de légumes sautés est typiquement chinois. Le chou chinois, qui s'apparente au chou ou à une laitue croquante, offre une délicieuse saveur poivrée.

INGRÉDIENTS

Pour 4 personnes

3 cuil. à soupe d'huile de tournesol
1 cuil. à soupe d'huile de sésame
1 gousse d'ail hachée
225 g de bouquets de brocolis séparés
115 g de pois gourmands
1 chou chinois d'environ 450 g
4 ciboules hachées menu
2 cuil. à soupe de sauce de soja
2 cuil. à soupe de vin de riz chinois ou de Xérès sec
2 à 3 cuil. à soupe d'eau
1 cuil. à soupe de graines de sésame légèrement grillées

1 Faites chauffer l'huile de tournesol et l'huile de sésame dans un wok préchauffé ou une grande poêle. Laissez blondir l'ail pendant 30 secondes.

2 Incorporez les brocolis, remuez 3 minutes. Mélangez les pois gourmands et faites chauffer 2 minutes. Ajoutez enfin le chou chinois, les ciboules, et laissez cuire encore 2 minutes.

3 Versez la sauce de soja, le vin de riz ou le Xérès, l'eau, puis poursuivez la cuisson pendant 4 minutes, jusqu'à ce que les légumes soient tendres. Saupoudrez de graines de sésame avant de servir chaud.

Pommes de terre à l'indonésienne

De simples frites s'enrichissent d'oignons frits et d'un assaisonnement à base de piment et de sauce de soja. Le *kentang gula* peut se déguster chaud ou froid comme en-cas.

INGRÉDIENTS

Pour 6 personnes

3 grosses pommes de terre d'environ 225 g chacune, épluchées et coupées en forme de frites
huile de tournesol ou d'arachide, pour la friture
2 oignons finement émincés
sel

L'assaisonnement

1 à 2 piments rouges frais épépinés et broyés
3 cuil. à soupe de sauce de soja foncée

1 Rincez les frites, puis essuyez-les soigneusement avec du papier absorbant. Faites-les cuire dans l'huile chaude, jusqu'à ce qu'elles soient dorées et croustillantes.

2 Mettez les frites dans un plat, salez-les et gardez-les au chaud. Faites dorer les oignons dans l'huile chaude. Posez-les sur du papier absorbant, puis ajoutez-les aux frites.

3 Mélangez les piments et la sauce de soja avant de les chauffer doucement.

4 Versez sur les frites et servez.

VARIANTE

Vous pouvez également faire cuire les pommes de terre à l'eau, dans leur peau. Égouttez-les, laissez-les refroidir, puis coupez-les et faites-les dorer dans l'huile. Préparez les oignons et l'assaisonnement comme décrit ci-dessus.

Courgettes aux nouilles

Des courgettes ou d'autres variétés de courges peuvent être utilisées dans la préparation du *oseng oseng*. Ce plat s'inspire d'une spécialité de Malaisie, pays lié à l'Indonésie par sa cuisine.

INGRÉDIENTS

Pour 4 à 6 personnes

450 g de courgettes coupées en rondelles
1 oignon finement émincé
1 gousse d'ail hachée menu
2 cuil. à soupe d'huile de tournesol
1/2 cuil. à café de curcuma en poudre
2 tomates concassées
3 cuil. à soupe d'eau
115 g de crevettes cuites décortiquées (facultatif)
25 g de nouilles cellophane
sel

1 Pelez les courgettes avec un épluche-légumes. Détaillez-les en rondelles, puis réservez. Faites revenir l'oignon et l'ail dans l'huile chaude, sans laisser dorer.

2 Ajoutez le curcuma, les courgettes, les tomates, l'eau et les crevettes.

3 Couvrez les nouilles d'eau bouillante, dans une casserole, laissez-les 1 minute, puis égouttez-les. Coupez-les en sections de 5 cm de long avant de les incorporer aux légumes.

4 Faites cuire 2 à 3 minutes à couvert. Remuez délicatement, salez, puis servez très chaud.

Aubergines farcies au poulet et au sésame

Les Japonais apprécient la saveur délicate des légumes nouveaux. Dans cette recette, de petites aubergines sont farcies de poulet.

INGRÉDIENTS

Pour 4 personnes

175 g de blancs ou de cuisses de poulet sans la peau
les pousses vertes d'1 ciboule finement hachées
1 cuil. à soupe de sauce de soja foncée
1 cuil. à soupe de mirin ou de Xérès doux
1/2 cuil. à café d'huile de sésame
1/2 cuil. à café de sel
4 petites aubergines d'environ 10 cm de long
1 cuil. à soupe de graines de sésame
1 cuil. à soupe de farine
huile végétale, pour la friture

La sauce d'accompagnement

4 cuil. à soupe de sauce de soja foncée
4 cuil. à soupe de *dashi* ou de bouillon de légumes
3 cuil. à soupe de mirin ou de Xérès doux

1 Séparez la chair du poulet des os, puis mixez finement pendant 1 à 2 minutes dans un mixer. Ajoutez la ciboule, la sauce de soja, le mirin ou le Xérès, l'huile de sésame et le sel.

2 Taillez 4 fentes dans chaque aubergine, de manière à ce qu'elles restent assemblées au niveau de la tige. Remplissez de préparation au poulet, en ouvrant légèrement. Roulez l'extrémité arrondie dans les graines de sésame, puis saupoudrez de farine. Réservez.

3 Pour préparer la sauce d'accompagnement, mélangez la sauce de soja, le *dashi* ou le bouillon et le mirin ou le Xérès. Versez dans un bol et réservez.

4 Chauffez l'huile végétale dans un wok ou une friteuse à 190 °C. Cuisez les aubergines 2 par 2 pendant 3 à 4 minutes. Retirez-les avec une écumoire et posez-les sur du papier absorbant. Servez avec la sauce d'accompagnement.

Pommes de terre chinoises aux haricots et au piment

Dans cette rencontre entre Orient et Occident, un plat d'inspiration américaine se rehausse d'une savoureuse sauce à tonalité chinoise. Vous le préparerez lorsque vous aurez envie de saveurs piquantes.

INGRÉDIENTS

Pour 4 personnes

4 pommes de terre moyennes coupées en gros morceaux
2 cuil. à soupe d'huile de tournesol ou d'arachide
3 ciboules émincées
1 gros piment rouge frais épépiné et émincé
2 gousses d'ail écrasées
400 g de haricots rouges en boîte, égouttés
2 cuil. à soupe de sauce de soja
1 cuil. à soupe d'huile de sésame
sel et poivre noir du moulin
1 cuil. à soupe de graines de sésame et un peu de coriandre ou de persil frais ciselés, pour la décoration

1 Faites bouillir les pommes de terre jusqu'à ce qu'elles soient tendres, en évitant de trop les cuire. Égouttez-les et réservez.

2 Faites chauffer l'huile de tournesol ou d'arachide dans une poêle préchauffée. Mélangez les ciboules et le piment pendant 1 minute, puis ajoutez l'ail et laissez cuire quelques secondes supplémentaires.

3 Incorporez les pommes de terre, en remuant bien, puis les haricots, la sauce de soja et l'huile de sésame.

4 Assaisonnez, puis faites cuire jusqu'à ce que les légumes soient bien chauds. Saupoudrez de graines de sésame et de coriandre ou de persil avant de servir.

Champignons farcis à la chinoise

Riche en protéines et peu calorique, le tofu est un aliment sain, très utile pour des préparations rapides ou des en-cas comme celui-ci.

INGRÉDIENTS

Pour 4 personnes

8 gros champignons
3 ciboules émincées
1 gousse d'ail écrasée
2 cuil. à soupe de sauce d'huître
275 g de tofu mariné coupé en petits dés
200 g d'épis de maïs en boîte, égouttés
2 cuil. à café d'huile de sésame
sel et poivre noir du moulin

1 Hachez finement les queues des champignons avant de les mélanger avec les ciboules, l'ail et la sauce d'huître.

2 Incorporez le tofu et le maïs, salez, poivrez, puis remplissez les champignons de cette préparation.

3 Badigeonnez le bord des champignons d'huile de sésame. Disposez les champignons farcis dans un plat à four et faites cuire 12 à 15 minutes dans le four préchauffé à 200 °C/thermostat 6, jusqu'à ce qu'ils soient tendres. Servez aussitôt.

CONSEIL

Vous pouvez remplacer la sauce d'huître par de la sauce de soja claire.

Légumes sautés

Les ingrédients d'une préparation au wok doivent être sélectionnés judicieusement, de manière à créer une heureuse harmonie de couleurs et de textures.

INGRÉDIENTS

Pour 4 personnes

225 g de chou chinois
115 g de petits épis de maïs
115 g de brocolis
1 carotte moyenne ou 2 petites
4 cuil. à soupe d'huile végétale
1 cuil. à café de sel
1 cuil. à café de sucre roux
bouillon clair *(voir p. 16)* ou eau, si besoin
1 cuil. à soupe de sauce de soja claire
quelques gouttes d'huile de sésame (facultatif)

1 Détaillez les légumes en morceaux de formes et tailles identiques, sauf les épis de maïs que vous laissez entiers.

2 Faites chauffer l'huile dans un wok préchauffé, ajoutez les légumes et remuez pendant 2 minutes.

3 Incorporez le sel, le sucre, un peu de bouillon ou d'eau, si besoin, puis faites revenir 1 minute. Versez la sauce de soja et l'huile de sésame. Mélangez intimement avant de servir.

Chou chinois et mooli aux noix de Saint-Jacques

Dans cette préparation facile au wok, le chou chinois et le mooli apportent leur texture croquante. Tous les ingrédients doivent être prêts avant d'entamer la cuisson.

INGRÉDIENTS

Pour 4 personnes

10 noix de Saint-Jacques préparées
5 cuil. à soupe d'huile végétale
3 gousses d'ail, finement hachées
1 cm de gingembre frais finement émincé
4 à 5 ciboules coupées dans la longueur en sections de 2,5 cm
2 cuil. à soupe de vin de riz chinois ou de Xérès sec
1/2 mooli débité en tranches de 1 cm
1 chou chinois coupé en julienne dans la longueur
4 cuil. à soupe d'eau

La marinade

1 cuil. à café de Maïzena
1 blanc d'œuf légèrement battu
1 pincée de poivre blanc

La sauce

1 cuil. à café de Maïzena
4 cuil. à soupe d'eau
3 cuil. à soupe de sauce d'huître

1 Rincez les noix de Saint-Jacques, puis séparez le corail de la chair blanche. Taillez chaque noix en deux et coupez le corail en petits morceaux. Posez sur deux plats séparés. Pour préparer la marinade, mélangez la Maïzena, le blanc d'œuf et le poivre. Versez-en la moitié sur la chair blanche, le reste sur le corail, puis laissez reposer 10 minutes.

2 Pour préparer la sauce, délayez la Maïzena dans l'eau et la sauce d'huître, puis réservez.

3 Faites chauffer 2 cuillerées à soupe d'huile dans un wok préchauffé. Faites revenir pendant 30 secondes la moitié de l'ail, puis la moitié du gingembre et des ciboules. Mélangez ensuite les noix de Saint-Jacques (sans le corail) pendant 1 minute, jusqu'à ce qu'elles deviennent opaques. Réduisez le feu et versez 1 cuillerée à soupe de vin de riz ou de Xérès. Laissez chauffer, puis mettez les noix et le jus de cuisson dans un saladier et réservez.

4 Faites chauffer encore 2 cuillerées à soupe d'huile dans le wok et laissez blondir le reste de l'ail, du gingembre et des ciboules pendant 1 minute. Ajoutez le corail et ce qui reste de vin de riz ou de Xérès, remuez, puis posez sur un plat.

5 Faites revenir le mooli pendant 30 secondes dans le reste d'huile chaude. Ajoutez le chou et laissez rissoler 30 secondes. Versez ensuite la sauce et l'eau. Laissez frémir un peu avant d'incorporer les noix et le corail avec le jus. Faites chauffer brièvement.

Curry rouge de tofu et de haricots verts

Dans ce curry simple à réaliser, vous pouvez remplacer les haricots verts par des aubergines, des brocolis ou des pousses de bambou.

INGRÉDIENTS

Pour 4 à 6 personnes

60 cl de lait de coco
1 cuil. à soupe de pâte de curry rouge
3 cuil. à soupe de sauce de poisson
2 cuil. à café de sucre de palme
225 g de champignons de Paris
115 g de haricots verts épluchés
175 g de tofu rincé et détaillé en cubes de 2 cm
4 feuilles de lime ciselées
2 piments rouges émincés
quelques feuilles de coriandre, pour la décoration

1 Versez un tiers du lait de coco dans un wok ou une casserole. Faites-le chauffer jusqu'à ce qu'il commence à se séparer et présente un aspect luisant.

2 Ajoutez la pâte de curry, la sauce de poisson et le sucre, puis mélangez intimement.

3 Incorporez les champignons et faites cuire 1 minute.

4 Versez le reste du lait de coco et portez à ébullition.

5 Mélangez les haricots verts, le tofu, puis laissez frémir 4 à 5 minutes.

6 Ajoutez enfin les feuilles de lime et les piments, puis servez décoré de feuilles de coriandre.

Tofu aux épices

Choisissez des légumes à cuisson rapide pour cette préparation au wok – pois mange-tout ou gourmands, poireaux ou carottes.

INGRÉDIENTS

Pour 4 personnes

2 cuil. à café de cumin en poudre
1 cuil. à soupe de paprika
1 cuil. à café de gingembre en poudre
1 bonne pincée de poivre de Cayenne
1 cuil. à soupe de sucre en poudre
275 g de tofu ferme
huile de friture
2 gousses d'ail écrasées
1 botte de ciboules émincées
1 poivron rouge épépiné et émincé
1 poivron jaune épépiné et émincé
225 g de champignons de Paris roses coupés en deux ou en quatre
1 grosse courgette émincée
115 g de haricots verts fins coupés en deux
50 g de pignons de pin
1 cuil. à soupe de jus de citron vert
1 cuil. à soupe de miel liquide
sel et poivre noir du moulin

1 Mélangez le cumin, le paprika, le gingembre, le poivre de Cayenne, le sucre, salez et poivrez généreusement. Détaillez le tofu en cubes, puis enrobez-le de préparation aux épices.

2 Dans un wok préchauffé, faites revenir le tofu à feu vif pendant 3 à 4 minutes dans l'huile chaude. Retournez-le de temps en temps, sans casser les morceaux. Retirez-le avec une écumoire. Essuyez le wok avec du papier absorbant.

3 Ajoutez un peu d'huile dans le wok, puis faites blondir l'ail et les ciboules pendant 3 minutes. Incorporez le reste des légumes et laissez rissoler pendant 6 minutes à feu moyen, jusqu'à ce qu'ils commencent à dorer et à ramollir. Assaisonnez.

4 Remettez le tofu dans le wok avec les pignons de pin, le jus de citron et le miel. Faites chauffer et servez.

Choux de Bruxelles à la chinoise

Pour varier la saveur des choux de Bruxelles, préparez-les selon cette recette, avec un peu d'huile.

INGRÉDIENTS

Pour 4 personnes

450 g de choux de Bruxelles
1 cuil. à café d'huile de sésame ou de tournesol
2 ciboules émincées
1/2 cuil. à café de cinq-épices
1 cuil. à soupe de sauce de soja claire

1 Épluchez les choux de Bruxelles, puis détaillez-les finement avec un couteau bien affûté ou dans un mixer.

2 Faites chauffer l'huile dans un wok ou une poêle. Ajoutez les choux de Bruxelles, les ciboules, et faites-les revenir 2 minutes, sans les laisser dorer.

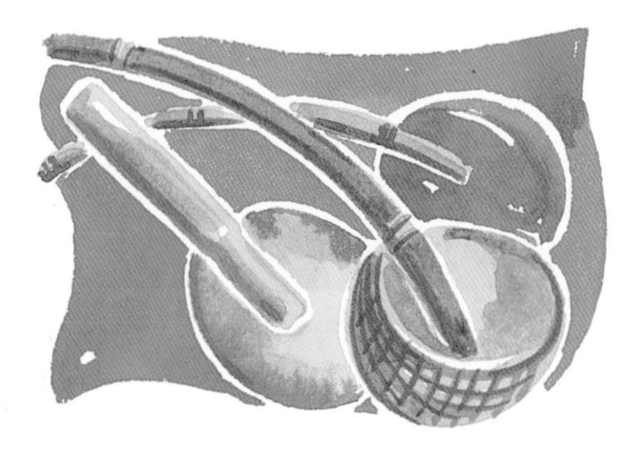

3 Incorporez le cinq-épices, la sauce de soja et poursuivez la cuisson pendant 2 à 3 minutes.

4 Servez chaud, avec de la viande, du poisson grillé, ou d'autres mets asiatiques.

CONSEIL

Ce mode de cuisson est idéal pour préserver la vitamine C contenue dans les choux de Bruxelles. Il convient aussi parfaitement au chou.

Les Salades

Les salades asiatiques ne se réduisent pas à quelques feuilles de chou et germes de soja. L'éventail de recettes proposé ici comprend des plats variés et colorés de fruits et de légumes, des salades chaudes délicieusement rafraîchissantes, des associations inattendues d'ingrédients doux et épicés, des mélanges de textures croquantes et fondantes, des alliances de saveurs audacieuses. Essayez par exemple la Salade thaïlandaise de fruits et de légumes, *la* Salade de poulet chaude, *la* Salade d'aubergines à l'œuf et aux crevettes séchées, *la* Salade de nouilles au sésame et aux cacahuètes, *ou encore la* Salade de canard à l'avocat et à la framboise.

Salade de poulet chinoise

Cette délicieuse salade est un chef-d'œuvre de saveurs subtiles et de textures contrastées.

INGRÉDIENTS

Pour 4 personnes

700 g de blancs de poulet coupés en morceaux
4 cuil. à soupe de sauce de soja foncée
1/4 de cuil. à café de cinq-épices
le jus d'1 citron
1/2 concombre pelé et détaillé en bâtonnets
1 cuil. à café de sel
3 cuil. à soupe d'huile de tournesol
2 cuil. à soupe d'huile de sésame
1 cuil. à soupe de graines de sésame
2 cuil. à soupe de vin de riz chinois ou de Xérès sec
2 carottes coupées en julienne
8 ciboules coupées en fines lanières
75 g de germes de soja

La sauce

4 cuil. à soupe de beurre de cacahuètes
2 cuil. à café de jus de citron
2 cuil. à café d'huile de sésame
1/4 de cuil. à café de poudre de piment
1 ciboule hachée menu

1 Disposez les morceaux de poulet dans une grande casserole et couvrez d'eau. Ajoutez 1 cuillerée à soupe de sauce de soja, le cinq-épices, le jus de citron, couvrez et portez à ébullition, puis laissez frémir 20 minutes.

2 Pendant ce temps, mettez les morceaux de concombre dans une passoire, saupoudrez-les de sel et couvrez-les avec une assiette. Laissez-les dégorger 30 minutes, en plaçant la passoire dans un saladier.

3 Sortez le poulet avec une écumoire et laissez-le refroidir. Retirez et jetez la peau. Écrasez légèrement le poulet avec un rouleau à pâtisserie pour l'attendrir. Détaillez-le en lanières et réservez.

4 Faites chauffer l'huile de tournesol et l'huile de sésame dans un wok préchauffé. Faites revenir les graines de sésame pendant 30 secondes, versez le reste de sauce de soja et le vin de riz ou le Xérès.

5 Ajoutez les carottes et faites rissoler pendant 2 à 3 minutes. Retirez du feu et réservez.

6 Rincez soigneusement le concombre, essuyez-le avec du papier absorbant, puis mettez-le dans un saladier. Incorporez les ciboules, les germes de soja, les carottes, le jus de cuisson, le poulet, et mélangez. Mettez sur un plat. Couvrez et laissez 1 heure au frais, en remuant une ou deux fois.

7 Pour préparer la sauce, travaillez le beurre de cacahuètes avec le jus de citron, l'huile de sésame et la poudre de piment, en mouillant avec un peu d'eau chaude pour former une pâte. Ajoutez la ciboule. Dressez la préparation au poulet sur un plat et servez avec la sauce.

Salade de nouilles et de crevettes aux herbes

Vous pouvez remplacer les crevettes par des calmars, des noix de Saint-Jacques, des moules ou du crabe.

INGRÉDIENTS

Pour 4 personnes

115 g de nouilles cellophane, ramollies après avoir trempé dans de l'eau chaude
16 crevettes cuites décortiquées
1 petit poivron vert épépiné et coupé en julienne
1/2 concombre coupé en julienne
1 tomate détaillée en fins morceaux
2 échalotes finement émincées
sel et poivre noir du moulin
quelques feuilles de coriandre, pour la décoration

L'assaisonnement

1 cuil. à soupe de vinaigre de riz
2 cuil. à soupe de sauce de poisson
2 cuil. à soupe de jus de citron vert
1 pincée de sel
1/2 cuil. à café de gingembre frais râpé
1 tige de citronnelle finement hachée
1 piment rouge épépiné et finement émincé
2 cuil. à soupe de menthe grossièrement ciselée
quelques branches d'estragon grossièrement ciselées
1 cuil. à soupe de ciboule ciselée

1 Pour préparer l'assaisonnement, mélangez les ingrédients avec un fouet dans un petit saladier.

2 Égouttez les nouilles, puis ébouillantez-les 1 minute dans une casserole. Égouttez-les, rincez-les sous l'eau froide, et égouttez-les de nouveau.

3 Réunissez dans un grand saladier les nouilles, les crevettes, le poivron, le concombre, la tomate et les échalotes. Salez et poivrez légèrement, puis mélangez avec l'assaisonnement.

4 Répartissez les nouilles sur des assiettes de service, disposez les crevettes dessus. Décorez de feuilles de coriandre et servez aussitôt.

CONSEIL

Les crevettes sont souvent vendues cuites, parfois décortiquées. Pour les cuire vous-même, pochez-les 5 minutes dans l'eau bouillante. Laissez-les refroidir dans le jus de cuisson, puis retirez délicatement la carapace au niveau de la queue et arrachez la tête.

Salade de poulet chaude

Les salades chaudes sont de plus en plus prisées car elles sont à la fois délicieuses et nourrissantes. Dressez les feuilles de salade à l'avance sur les assiettes, de manière à servir rapidement dessus la garniture chaude.

INGRÉDIENTS

Pour 4 personnes

quelques grandes branches d'estragon frais
450 g de blancs de poulet sans la peau
5 cm de gingembre pelé et finement haché
3 cuil. à soupe de sauce de soja claire
1 cuil. à soupe de sucre
1 cuil. à soupe d'huile de tournesol
1 laitue chinoise
1/2 laitue frisée coupée en chiffonnade
2 grosses carottes détaillées en julienne
115 g de noix de cajou non salées
sel et poivre noir du moulin

1 Séparez les feuilles d'estragon des tiges, puis hachez les feuilles.

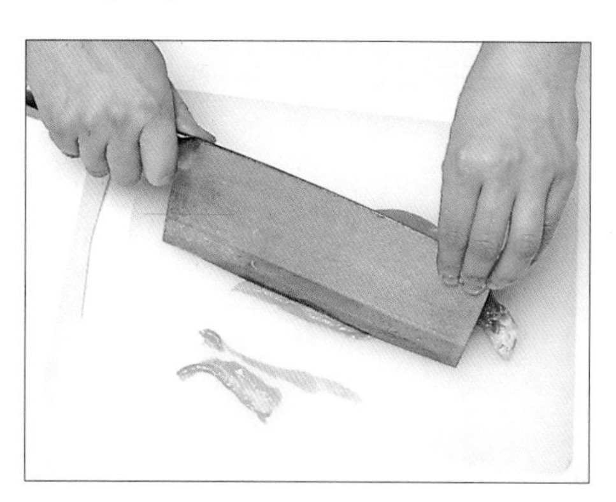

2 Débitez le poulet en fines lamelles et mettez-les dans un plat.

3 Pour préparer la marinade, mélangez dans un saladier l'estragon, le gingembre, la sauce de soja, le sucre et l'assaisonnement.

4 Versez la marinade sur le poulet et réservez 2 à 4 heures dans un endroit frais.

5 Égouttez le poulet et réservez la marinade. Dans un wok préchauffé, faites rissoler le poulet 3 minutes dans l'huile chaude. Versez la marinade et laissez frémir 2 à 3 minutes.

6 Détaillez la laitue chinoise en chiffonnade et dressez sur un plat avec la frisée. Mélangez les carottes et les noix de cajou au poulet, posez sur le lit de laitue et servez aussitôt.

Salade de bœuf thaïlandaise

Une salade nourrissante à base de bœuf, rehaussée d'une sauce au piment et au citron vert.

INGRÉDIENTS

Pour 4 personnes

2 steaks de 225 g chacun
1 oignon rouge finement émincé
1/2 concombre détaillé en julienne
1 tige de citronnelle finement hachée
2 cuil. à soupe de ciboules hachées
le jus de 2 citrons verts
1 à 2 cuil. à soupe de sauce de poisson
2 à 4 piments rouges finement émincés, de la coriandre fraîche et quelques feuilles de cresson et de menthe, pour la décoration

1 Faites cuire les steaks à point, à la poêle ou sur le gril. Laissez reposer 10 à 15 minutes.

2 Coupez-les en tranches fines et mettez-les dans un grand saladier.

3 Ajoutez l'oignon, le concombre et la citronnelle.

4 Incorporez les ciboules. Remuez, puis arrosez de jus de citron et de sauce de poisson. Servez à température ambiante ou froid, décoré de piments, de coriandre, de cresson et de menthe.

Salade piquante au poulet

Très représentative de la cuisine thaïe, cette salade fraîche et colorée est idéale comme entrée ou pour un déjeuner léger.

INGRÉDIENTS

Pour 4 à 6 personnes

4 blancs de poulet sans la peau
2 gousses d'ail grossièrement hachées
2 cuil. à soupe de sauce de soja
2 cuil. à soupe d'huile végétale
12 cl de crème de coco
2 cuil. à soupe de sauce de poisson
le jus d'1 citron vert
2 cuil. à soupe de sucre de palme
115 g de châtaignes d'eau émincées
50 g de noix de cajou grillées
4 échalotes coupées finement
4 feuilles de lime ciselées
1 tige de citronnelle finement émincée
1 cuil. à café de *galanga* haché
1 gros piment rouge épépiné et finement émincé
2 ciboules finement émincées
10 à 12 feuilles de menthe ciselées
quelques branches de coriandre et 1 piment rouge épépiné et émincé, pour la décoration
1 laitue, pour le service

1 Parez les blancs de poulet avant de les disposer dans un grand plat. Saupoudrez-les d'ail, arrosez-les de sauce de soja et d'1 cuillerée à soupe d'huile. Laissez mariner 1 à 2 heures.

2 Faites cuire le poulet 3 à 4 minutes de chaque côté, à la poêle ou sur le gril. Retirez-le et laissez refroidir.

3 Faites chauffer dans une casserole la crème de coco, la sauce de poisson, le jus de citron et le sucre de palme. Remuez jusqu'à dissolution du sucre, puis retirez du feu.

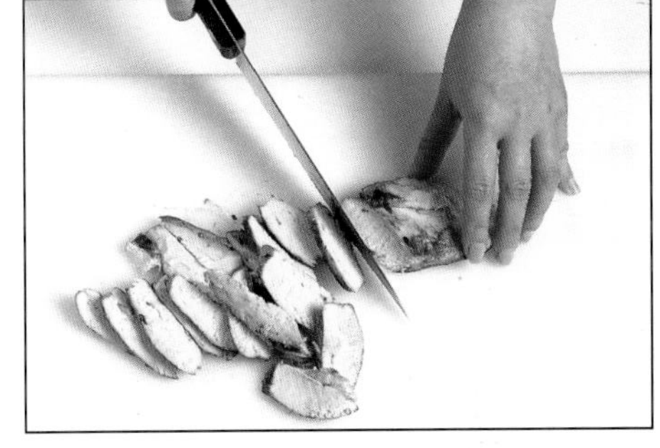

4 Coupez le poulet en fines tranches, et mélangez-le aux châtaignes d'eau, noix de cajou, échalotes, feuilles de lime, ciboules, feuilles de menthe, *galanga,* piment rouge et à la citronnelle.

5 Versez la sauce à la noix de coco sur le poulet et remuez délicatement. Présentez le poulet sur un lit de laitue, décoré de coriandre et de piment.

Nouilles à l'ananas, au gingembre et au piment

INGRÉDIENTS

Pour 4 personnes

275 g de nouilles *udon* sèches
1/2 ananas épluché, évidé et coupé en tranches
3 cuil. à soupe de sucre roux
4 cuil. à soupe de jus de citron vert
4 cuil. à soupe de lait de coco
2 cuil. à soupe de sauce de poisson
2 cuil. à soupe de gingembre frais râpé
2 gousses d'ail finement hachées
1 mangue mûre ou 2 pêches coupées en dés
sel et poivre noir du moulin
1 ciboule finement émincée, 1 piment rouge épépiné et finement détaillé, et quelques feuilles de menthe, pour la décoration

1 Faites cuire les nouilles dans une grande casserole d'eau bouillante, suivant les instructions du fabricant. Égouttez-les, rincez-les sous l'eau froide, puis égouttez-les de nouveau.

2 Disposez les tranches d'ananas sur un plat à four, saupoudrez-les de 2 cuillerées à soupe de sucre roux et faites-les dorer 5 minutes sous le gril. Laissez-les refroidir légèrement avant de les détailler en dés.

3 Mélangez le jus de citron, le lait de coco et la sauce de poisson dans un saladier. Ajoutez le reste de sucre, le gingembre, l'ail, et fouettez vigoureusement. Incorporez les nouilles et l'ananas.

4 Incorporez la mangue ou les pêches et assaisonnez. Parsemez de ciboule, de piment et de feuilles de menthe.

Nouilles de sarrasin au saumon fumé

La saison des pousses de pois étant limitée, vous pouvez les remplacer par du cresson, des poireaux nouveaux, votre légume vert ou votre herbe préférés.

INGRÉDIENTS

Pour 4 personnes

225 g de nouilles soba ou de sarrasin
1 cuil. à soupe de sauce d'huître
le jus d'1/2 citron
2 à 3 cuil. à soupe d'huile d'olive
115 g de saumon fumé, détaillé en fines lanières
115 g de pousses de pois
2 tomates mûres pelées, épépinées et détaillées en lanières
1 cuil. à soupe de ciboule ciselée
sel et poivre noir du moulin

1 Faites cuire les nouilles dans une grande casserole d'eau bouillante, en suivant les instructions du fabricant. Égouttez-les, puis rincez-les sous l'eau froide, et égouttez-les de nouveau.

2 Mettez les nouilles dans un grand saladier. Ajoutez la sauce d'huître et le jus de citron. Poivrez et arrosez d'huile d'olive.

3 Incorporez le saumon fumé, les pousses de pois, les tomates et la ciboule. Mélangez avant de servir.

Salade de nouilles et de canard au sésame

Cette salade peut constituer un délicieux déjeuner estival. La marinade réunit de délicates saveurs épicées.

INGRÉDIENTS

Pour 4 personnes

2 magrets de canard
1 cuil. à soupe d'huile végétale
150 g de pois gourmands
2 carottes détaillées en bâtonnets de 7,5 cm
225 g de nouilles moyennes aux œufs
6 ciboules émincées
1 pincée de sel
quelques feuilles de coriandre fraîche, pour la décoration

La marinade

1 cuil. à soupe d'huile de sésame
1 cuil. à café de coriandre en poudre
1 cuil. à café de cinq-épices

L'assaisonnement

1 cuil. à soupe de vinaigre à l'ail
1 cuil. à café de sucre roux
1 cuil. à café de sauce de soja
1 cuil. à soupe de graines de sésame grillées
3 cuil. à soupe d'huile de tournesol
2 cuil. à soupe d'huile de sésame
poivre noir du moulin

1 Coupez les magrets en fines tranches et mettez-les dans un plat. Mélangez tous les ingrédients de la marinade, versez sur le canard et enrobez-le soigneusement. Couvrez, puis laissez 30 minutes dans un endroit frais.

2 Faites chauffer l'huile dans un wok préchauffé ou une grande poêle, ajoutez le canard et laissez-le rissoler 3 à 4 minutes. Réservez.

3 Portez à ébullition une casserole d'eau salée. Mettez les pois gourmands et les carottes dans un cuiseur qui s'adapte sur la casserole. Lorsque l'eau bout, jetez les nouilles dans la casserole, posez le cuiseur dessus et faites cuire le tout 10 à 15 minutes.

4 Préparez l'assaisonnement en mélangeant le vinaigre, le sucre, la sauce de soja et les graines de sésame dans un bol. Poivrez généreusement, puis incorporez l'huile de tournesol et l'huile de sésame en fouettant.

5 Réservez les légumes cuits. Égouttez les nouilles, rincez-les sous l'eau froide, puis égouttez-les de nouveau. Mettez-les dans un grand saladier chaud.

6 Versez l'assaisonnement sur les nouilles et mélangez bien. Ajoutez les pois gourmands, les carottes, les ciboules, le canard, puis remuez délicatement. Saupoudrez de feuilles de coriandre avant de servir.

Salade de canard à l'avocat et à la framboise

Cuits au four avec un glaçage au miel et à la sauce de soja, ces magrets de canard se servent chauds accompagnés de framboises et d'avocat. Une succulente sauce au goût de framboise et de groseille les rehausse de sa saveur aigre-douce.

INGRÉDIENTS

Pour 4 personnes

4 petits magrets de canard ou 2 gros coupés en deux
1 cuil. à soupe de miel liquide
1 cuil. à soupe de sauce de soja foncée
4 cuil. à soupe d'huile d'olive
1 cuil. à soupe de vinaigre de framboises
1 cuil. à soupe de gelée de groseilles
des feuilles de salades variées (laitue, chicorée rouge, frisée)
2 avocats dénoyautés, pelés et coupés en morceaux
115 g de framboises
sel et poivre noir du moulin

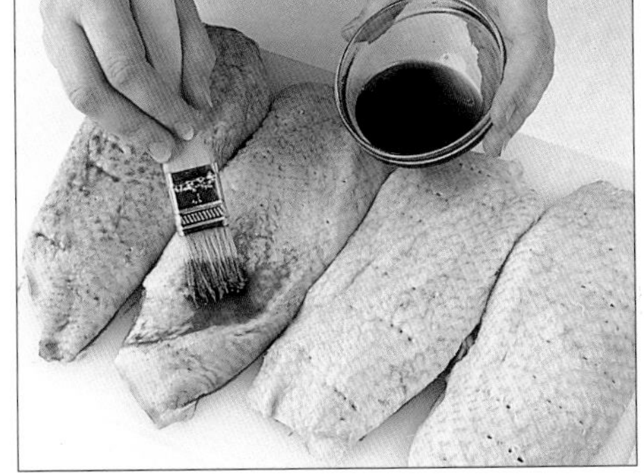

1 Piquez la peau des magrets avec une fourchette. Mélangez le miel et la sauce de soja dans un bol, puis humectez-en la peau.

2 Posez les magrets sur une grille, dans la lèchefrite, salez et poivrez. Faites cuire 15 à 20 minutes dans le four préchauffé à 220 °C/thermostat 7, jusqu'à ce que la peau soit croustillante.

3 Pendant ce temps, préparez la sauce en fouettant vigoureusement l'huile, le vinaigre, la gelée de groseilles, le sel et le poivre dans un petit saladier.

4 Coupez les magrets en tranches et dressez-les sur des assiettes avec les feuilles de salades, les avocats et les framboises. Arrosez de sauce avant de servir.

Nouilles épicées à la sichuanaise

INGRÉDIENTS

Pour 4 personnes

350 g de nouilles épaisses
175 g de poulet cuit détaillé en lamelles
50 g de noix de cajou grillées

L'assaisonnement

4 ciboules hachées
2 cuil. à soupe de coriandre ciselée
2 gousses d'ail écrasées
2 cuil. à soupe de beurre de cacahuètes
2 cuil. à soupe de sauce de piment doux
1 cuil. à soupe de sauce de soja
1 cuil. à soupe de vinaigre de Xérès
1 cuil. à soupe d'huile de sésame
2 cuil. à soupe d'huile d'olive
2 cuil. à soupe de bouillon de volaille ou d'eau
10 grains de poivre du Sichuan grillés et moulus

1 Cuisez les nouilles suivant les instructions du fabricant. Égouttez-les, rincez-les sous l'eau froide, puis égouttez-les de nouveau.

2 Pendant la cuisson des nouilles, réunissez tous les ingrédients de l'assaisonnement dans un grand saladier, puis mélangez-les soigneusement avec un fouet.

3 Ajoutez les nouilles, le poulet, les noix de cajou, remuez délicatement et rectifiez l'assaisonnement. Servez aussitôt.

CONSEIL

Vous pouvez remplacer le poulet par de la dinde ou du porc.

Nouilles au sésame et aux ciboules

Frugale mais savoureuse, cette salade chaude se prépare en quelques minutes.

INGRÉDIENTS

Pour 4 personnes

2 gousses d'ail grossièrement hachées
2 cuil. à soupe de pâte de sésame chinoise
1 cuil. à soupe d'huile de sésame
2 cuil. à soupe de sauce de soja
2 cuil. à soupe de vin de riz
1 cuil. à soupe de miel
1 pincée de cinq-épices
350 g de nouilles *soba* ou de sarrasin
4 ciboules finement émincées
sel et poivre noir du moulin
50 g de germes de soja, 1/4 de concombre détaillé en julienne, et des graines de sésame grillées, pour la décoration

1 Hachez dans un mixer l'ail, la pâte de sésame, l'huile, la sauce de soja, le vin de riz, le miel et le cinq-épices avec du sel et du poivre, jusqu'à obtention d'une consistance lisse.

2 Faites cuire les nouilles dans une casserole d'eau bouillante, en suivant les instructions du fabricant. Égouttez-les aussitôt, puis renversez-les dans un saladier.

3 Mélangez les nouilles chaudes avec l'assaisonnement et les ciboules. Garnissez de germes de soja, de morceaux de concombre et de graines de sésame avant de servir.

CONSEIL

Vous pouvez remplacer la pâte de sésame chinoise par du tahini ou du beurre de cacahuètes.

Salade aigre-douce de fruits et de légumes

Cet *acar bening* aux saveurs contrastées et aux couleurs éclatantes accompagne parfaitement de nombreux mets épicés. Les restes de la salade, tout indiquée pour un buffet, peuvent se conserver deux jours au réfrigérateur.

INGRÉDIENTS

Pour 8 personnes

1 petit concombre
1 oignon
1 petit ananas mûr ou 400 g de tranches d'ananas en boîte
1 poivron vert épépiné et finement émincé
3 tomates fermes coupées en morceaux
25 g de sucre roux
3 à 4 cuil. à soupe de vinaigre de cidre ou de vinaigre de vin blanc
10 cl d'eau
sel

1 Pelez le concombre et partagez-le en deux dans la longueur. Ôtez les graines avec une petite cuillère, avant de le détailler en morceaux de taille identique. Saupoudrez-le de sel. Émincez finement l'oignon et salez-le également. Laissez dégorger les deux légumes quelques minutes. Rincez-les, essuyez-les, puis mélangez-les dans un saladier.

2 Épluchez l'ananas frais, en retirant les particules dures. Coupez-le en tranches fines, puis évidez-les et détaillez-les en petits morceaux. Si vous utilisez de l'ananas en conserve, coupez les tranches en morceaux réguliers. Incorporez-les dans le saladier, avec le poivron vert et les tomates.

3 Faites chauffer le sucre, le vinaigre et l'eau jusqu'à dissolution du sucre. Retirez du feu et laissez refroidir. Salez avant de verser sur les fruits et les légumes. Couvrez et laissez au frais jusqu'au moment de servir.

Rouleaux de salade aux vermicelles de riz

Le *goi curo* est une salade de nouilles dans des galettes de riz. Ces rouleaux de salade conviennent parfaitement pour un pique-nique.

INGRÉDIENTS

Pour 8 personnes

50 g de vermicelles de riz, ramollis après avoir trempé dans de l'eau chaude
1 grosse carotte détaillée en julienne
1 cuil. à soupe de sucre
1 à 2 cuil. à soupe de sauce de poisson
8 galettes de riz de 20 cm de diamètre
8 grosses feuilles de laitue épluchées
350 g de rôti de porc coupé en tranches
115 g de germes de soja
quelques feuilles de menthe
8 grosses crevettes cuites décortiquées et sans les veines, coupées en deux
1/2 concombre détaillé en fins bâtonnets
quelques feuilles de coriandre, pour la décoration

La sauce aux cacahuètes

3 gousses d'ail finement hachées
1 à 2 piments rouges finement hachés
1 cuil. à café de concentré de tomates
1 cuil. à soupe d'huile végétale
12 cl d'eau
1 cuil. à soupe de beurre de cacahuètes
2 cuil. à soupe de sauce hoi-sin
1/2 cuil. à café de sucre
le jus d'1 citron vert
50 g de cacahuètes grillées moulues

1 Égouttez les nouilles. Faites-les cuire 2 à 3 minutes dans une casserole d'eau bouillante. Égouttez-les, rincez-les sous l'eau froide, puis égouttez-les de nouveau. Mettez-les dans un saladier, avec la carotte, le sucre et la sauce de poisson.

2 Préparez les rouleaux un par un. Plongez 1 galette de riz dans un saladier d'eau chaude, puis étalez-la sur un plan de travail. Garnissez d'1 feuille de laitue, d'1 à 2 cuillerées de nouilles, de quelques tranches de porc, de germes de soja et de feuilles de menthe.

3 Enroulez la moitié de la galette, repliez les deux côtés vers le centre et posez 2 morceaux de crevette sur le pli.

4 Ajoutez quelques bâtonnets de concombre et des feuilles de coriandre. Continuez à enrouler en serrant bien. Posez le rouleau sur une assiette et couvrez-le avec un torchon humide pour qu'il ne sèche pas pendant la confection des autres.

5 Pour préparer la sauce aux cacahuètes, faites revenir l'ail, les piments et le concentré de tomates 1 minute dans l'huile chaude, dans une casserole. Versez l'eau et portez à ébullition, puis incorporez le beurre de cacahuètes, la sauce hoi-sin, le sucre et le jus de citron. Mélangez intimement. Réduisez le feu et laissez frémir 3 à 4 minutes. Versez la sauce dans un saladier, ajoutez les cacahuètes et laissez refroidir.

6 Pour servir, coupez chaque rouleau en deux et nappez d'1 cuillerée de sauce aux cacahuètes.

Gado gado de fruits et légumes

Pour présenter cette préparation de manière décorative, vous pouvez la dresser sur une feuille de bananier.

INGRÉDIENTS

Pour 6 personnes

2 poires vertes pelées au dernier moment
1 à 2 pommes
le jus d'1/2 citron
3 tranches d'ananas frais évidées et coupées en morceaux
1/2 concombre épépiné, émincé et salé, ayant dégorgé 15 minutes, puis rincé et égoutté
6 petites tomates coupées en morceaux
1 petite laitue croquante coupée en chiffonnade
3 œufs de poule ou 12 œufs de caille durs et écalés
175 g de nouilles aux œufs cuites, refroidies et coupées
des oignons frits, pour la décoration

La sauce aux cacahuètes

2 à 4 piments rouges frais épépinés et moulus
30 cl de lait de coco
350 g de beurre de cacahuètes
1 cuil. à soupe de sauce de soja foncée ou de sucre roux
1 cuil. à café de jus de tamarin (obtenue à partir de pulpe ayant trempé dans 3 cuil. à soupe d'eau chaude, puis filtrée)
quelques cacahuètes grossièrement hachées
sel

1 Pour préparer la sauce aux cacahuètes, réunissez les piments et le lait de coco dans une casserole. Ajoutez le beurre de cacahuètes et faites chauffer doucement, en remuant, jusqu'à disparition des grumeaux.

2 Laissez frissonner jusqu'à ce que la sauce épaississe, puis ajoutez la sauce de soja ou le sucre et le jus de tamarin. Salez, versez dans un saladier et saupoudrez de cacahuètes.

3 Pour préparer la salade, pelez et évidez les poires et les pommes. Coupez-les en tranches et arrosez-les de jus de citron. Disposez les fruits et les légumes de manière décorative sur une feuille de bananier ou un lit de salade.

4 Ajoutez les œufs coupés en rondelles ou en quartiers (ou les œufs de caille entiers) et les nouilles détaillées en morceaux, et décorez avec les oignons frits.

5 Servez aussitôt, accompagné de la sauce aux cacahuètes.

Salade de nouilles au sésame et aux cacahuètes

Dans cette salade d'inspiration orientale associant des légumes croquants et une sauce au soja, les cacahuètes chaudes se marient parfaitement avec les nouilles froides.

INGRÉDIENTS

Pour 4 personnes

350 g de nouilles aux œufs
2 carottes détaillées en julienne
1/2 concombre pelé, épépiné et détaillé en dés de 1 cm
115 g de céleri-rave épluché et détaillé en julienne
6 ciboules finement émincées
8 châtaignes d'eau en boîte, égouttées et finement émincées
175 g de germes de soja
1 petit piment vert frais épépiné et finement haché
2 cuil. à soupe de graines de sésame et 115 g de cacahuètes, pour le service

L'assaisonnement

1 cuil. à soupe de sauce de soja foncée
1 cuil. à soupe de sauce de soja claire
1 cuil. à soupe de miel liquide
1 cuil. à soupe de vin de riz chinois ou de Xérès sec
1 cuil. à soupe d'huile de sésame

1 Faites cuire les nouilles dans de l'eau bouillante, en suivant les instructions du fabricant.

2 Égouttez les nouilles, rincez-les sous l'eau froide, puis égouttez-les de nouveau. Mélangez-les avec tous les légumes préparés.

3 Réunissez les ingrédients de l'assaisonnement dans un bol, mélangez bien puis incorporez à la préparation aux nouilles et aux légumes. Répartissez la salade sur les assiettes.

4 Posez les graines de sésame et les cacahuètes sur des plaques de cuisson séparées, puis enfournez à 200 °C/ thermostat 6. Retirez les graines de sésame au bout de 5 minutes, les cacahuètes 5 minutes plus tard.

5 Saupoudrez chaque assiette de graines de sésame et de cacahuètes et servez aussitôt.

Salade thaïlandaise de fruits et de légumes

Généralement servie avec le plat principal, cette salade adoucit la saveur relevée du curry thaï.

INGRÉDIENTS

Pour 4 à 6 personnes

1 petit ananas
1 petite mangue pelée, dénoyautée et coupée en tranches
1 pomme verte évidée et coupée en tranches
6 *ramboutans* ou litchis pelés et dénoyautés
115 g de haricots verts coupés en deux
1 oignon rouge moyen émincé
1 petit concombre détaillé en bâtonnets
115 g de germes de soja
2 ciboules émincées
1 tomate mûre coupée en quatre
225 g de feuilles de laitue coupées en chiffonnade
sel

La sauce à la noix de coco
6 cuil. à soupe de crème de coco
2 cuil. à soupe de sucre
5 cuil. à soupe d'eau bouillante
1/4 de cuil. à café de sauce au piment
1 cuil. à soupe de sauce de poisson
le jus d'1 citron vert

1 Pour préparer la sauce d'accompagnement, réunissez la crème de coco, le sucre et l'eau bouillante dans un bocal hermétique. Ajoutez la sauce au piment, la sauce de poisson, le jus de citron, puis secouez pour mélanger. Réservez.

2 Coupez les deux extrémités de l'ananas avec un couteau-scie, puis retirez l'écorce. Évidez la partie centrale avec un vide-pomme, ou divisez l'ananas en quatre par le milieu et évidez-le avec un couteau. Détaillez grossièrement l'ananas, puis réservez avec les autres fruits.

3 Faites cuire les haricots 3 à 4 minutes dans de l'eau bouillante, légèrement salée. Refroidissez-les sous l'eau courante et réservez. Pour servir, disposez les fruits, les légumes et les feuilles de laitue en tas séparés sur un plat de service, autour de la sauce.

CONSEIL

Apparenté au litchi et d'origine malaise, le *ramboutan* se cultive désormais dans presque tout le Sud-Est asiatique et aux États-Unis. Il présente une peau rugueuse foncée, brun-rouge, une pulpe sucrée et transparente, et contient un noyau non comestible. Il mesure environ 5 cm de diamètre.

Salade aux pousses de bambou

Pour préparer cette salade piquante, originaire du nord-est de la Thaïlande, choisissez de préférence des pousses de bambou fraîches.

INGRÉDIENTS

Pour 4 personnes

400 g de pousses de bambou entières, fraîches ou en boîte, rincées et égouttées
25 g de riz gluant
2 cuil. à soupe d'échalotes hachées
1 cuil. à soupe d'ail haché
3 cuil. à soupe d'oignons hachés
2 cuil. à soupe de sauce de poisson
2 cuil. à soupe de jus de citron vert
1 cuil. à café de sucre
1/2 cuil. à café de piments séchés en flocons
20 à 25 petites feuilles de menthe
1 cuil. à soupe de graines de sésame grillées

1 Émincez finement les pousses de bambou et réservez-les.

2 Faites dorer le riz dans une poêle non graissée. Broyez-le finement dans un mortier avec un pilon.

3 Mettez dans un saladier le riz, l'ail, les échalotes, les oignons, la sauce de poisson, le jus de citron, le sucre, la moitié des feuilles de menthe et les piments.

4 Mélangez intimement, puis versez sur les pousses de bambou et remuez. Servez saupoudré de graines de sésame et du reste de menthe.

Crêpes aux légumes variés

Pour consommer cet en-cas, les Indonésiens garnissent les crêpes à leur gré et les rehaussent de diverses sauces.

INGRÉDIENTS

Pour 12 crêpes

2 œufs
1/2 cuil. à café de sel
1 cuil. à café d'huile végétale, plus quelques gouttes pour la friture
115 g de farine
30 cl d'eau
des crevettes cuites et décortiquées, quelques feuilles de laitue coupées en chiffonnade, des germes de soja, des morceaux de concombre, quelques ciboules émincées, 1 à 2 branches de coriandre, pour le service

La garniture

1 cm de gingembre frais haché
1 gousse d'ail écrasée
1 piment rouge frais épépiné et finement haché
3 cuil. à soupe d'huile végétale
1 cuil. à soupe de vinaigre de riz ou de vinaigre de vin blanc
2 cuil. à café de sucre
115 g de mooli râpé
1 carotte moyenne râpée
115 g de chou chinois émincé en julienne
2 échalotes ou 1 petit oignon rouge finement émincés

1 Cassez les œufs dans un saladier, incorporez le sel, l'huile et la farine, sans trop mélanger. Versez l'eau peu à peu, puis filtrez dans un pichet. Laissez la pâte reposer 15 à 20 minutes.

2 Graissez une petite poêle à fond antiadhésif et faites chauffer. Versez un peu de pâte de manière à couvrir le fond, puis faites cuire 30 secondes. Retournez et laissez cuire de l'autre côté. Empilez les crêpes sur une assiette, couvrez-les et gardez-les au chaud.

3 Pour préparer la garniture, faites revenir le gingembre, l'ail et le piment 1 à 2 minutes dans un wok préchauffé avec de l'huile. Ajoutez le vinaigre, le sucre, le mooli, la carotte, le chou et les échalotes ou l'oignon. Faites cuire 3 à 4 minutes. Servez avec les crêpes, les crevettes et les légumes.

Légumes verts à la menthe et à la noix de coco

Ce plat accompagne traditionnellement des spécialités de viande à Singapour et en Malaisie.

INGRÉDIENTS

Pour 4 à 6 personnes

115 g de pois mange-tout coupés en deux
115 g de haricots verts coupés en deux
1/2 concombre pelé, coupé en deux, puis en morceaux fins
115 g de chou chinois détaillé en julienne
115 g de germes de soja
sel
des feuilles de laitue, pour le service

L'assaisonnement

1 gousse d'ail écrasée
1 petit piment vert frais épépiné et finement haché
2 cuil. à café de sucre
3 cuil. à soupe de crème de coco
5 cuil. à soupe d'eau bouillante
2 cuil. à café de sauce de poisson
3 cuil. à soupe d'huile végétale
le jus d'1 citron vert
2 cuil. à soupe de menthe fraîche ciselée

1 Faites bouillir une casserole d'eau légèrement salée. Blanchissez les pois mange-tout, les haricots verts et le concombre pendant 4 minutes. Égouttez-les, puis refroidissez-les sous l'eau courante. Égouttez-les de nouveau et réservez.

2 Pour l'assaisonnement, écrasez l'ail, le piment et le sucre. Ajoutez la crème de coco, l'eau bouillante, la sauce de poisson, l'huile, le jus de citron et la menthe. Mélangez soigneusement.

3 Disposez les légumes, le chou et les germes de soja sur un lit de laitue, dans un panier. Versez l'assaisonnement dans un bol et servez.

Salade chaude de crevettes et de papaye au coco

Cette spécialité thaïe peut accompagner des plats de bœuf et de poulet, ou constituer un déjeuner léger en été.

INGRÉDIENTS

Pour 4 à 6 personnes

225 g de crevettes crues ou cuites, décortiquées et sans les veines
2 papayes mûres
225 g de feuilles de salades mélangées (laitue, romaine, ou chou chinois, épinards)
1 tomate ferme épépinée et concassée
3 ciboules détaillées en lamelles
1 petit botte de coriandre fraîche ciselée, et 1 gros piment frais émincé, pour la décoration

L'assaisonnement

1 cuil. à soupe de crème de coco
2 cuil. à soupe d'eau bouillante
6 cuil. à soupe d'huile végétale
le jus d'1 citron vert
1/2 cuil. à café de sauce de piment forte
2 cuil. à café de sauce de poisson (facultatif)
1 cuil. à café de sucre

1 Commencez par préparer l'assaisonnement. Mettez la crème de coco dans un bocal hermétique et versez l'eau bouillante. Ajoutez l'huile, le jus de citron, la sauce de piment, la sauce de poisson et le sucre. Secouez vigoureusement et réservez à température ambiante.

2 Si vous utilisez des crevettes crues, mettez-les dans une casserole et couvrez-les d'eau. Portez à ébullition, puis laissez frémir 2 minutes. Égouttez-les et réservez. Lavez les différentes salades et mettez-en quelques feuilles dans un saladier. Réservez.

3 Coupez les papayes en deux dans la hauteur et ôtez les pépins noirs avec une cuillère. Pelez-les, puis détaillez la pulpe en petits morceaux dans le saladier. Ajoutez les autres ingrédients, nappez de l'assaisonnement et servez, décoré de coriandre et de piment.

Salade d'aubergines à l'œuf et aux crevettes séchées

Une salade insolite et appétissante que vous aurez plaisir à préparer.

INGRÉDIENTS

Pour 4 à 6 personnes

2 aubergines
2 cuil. à soupe de crevettes séchées, trempées dans de l'eau et égouttées
1 cuil. à soupe d'ail grossièrement haché
1 cuil. à soupe d'huile
2 cuil. à soupe de jus de citron
1 cuil. à café de sucre de palme
2 cuil. à soupe de sauce de poisson
1 œuf dur écalé et haché
4 échalotes détaillées en anneaux
quelques feuilles de coriandre et 1 piment rouge épépiné et émincé, pour la décoration

CONSEIL

Vous pouvez utiliser des œufs de cane ou de caille, coupés en deux.

1 Grillez les aubergines afin qu'elles soient noires et tendres.

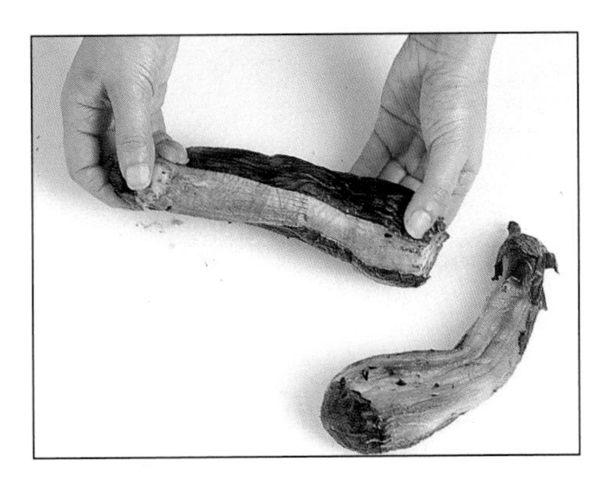

2 Lorsqu'elles sont froides, ôtez la peau et coupez la chair en rondelles.

3 Dans une petite poêle préchauffée avec de l'huile, faites dorer les crevettes et l'ail. Retirez et réservez.

4 Pour préparer l'assaisonnement, réunissez le jus de citron, le sucre de palme et la sauce de poisson dans un petit saladier, puis fouettez le tout vigoureusement.

5 Pour servir, dressez les aubergines sur un plat. Garnissez d'œuf, d'échalotes et de crevettes. Arrosez de sauce, décorez de coriandre et de piment.

Les Nouilles

Les nouilles se consomment quotidiennement dans toute l'Asie et figurent au menu des cérémonies importantes, des mariages aux repas de funérailles. Elles existent sous de multiples variétés et se servent chaudes ou froides. Braisées, frites ou sautées, elles s'accommodent avec les légumes, la viande, la volaille ou les fruits de mer, pour composer des plats uniques ou de simples mets d'accompagnement. Vous n'aurez que l'embarras du choix entre les Nouilles de Singapour, *le* Chow Mein de fruits de mer, *les* Nouilles frites *et les* Boulettes de porc aux nouilles.

Nouilles orientales aux légumes

Vous pouvez remplacer les nouilles aux œufs orientales par des pâtes italiennes, fraîches ou sèches.

INGRÉDIENTS

Pour 6 personnes

500 g de *tagliarini* fins
1 oignon rouge
115 g de champignons shiitake
3 cuil. à soupe d'huile de sésame
3 cuil. à soupe de sauce de soja foncée
1 cuil. à soupe de vinaigre balsamique
2 cuil. à café de sucre en poudre
1 pincée de sel
quelques feuilles de céleri, pour la décoration

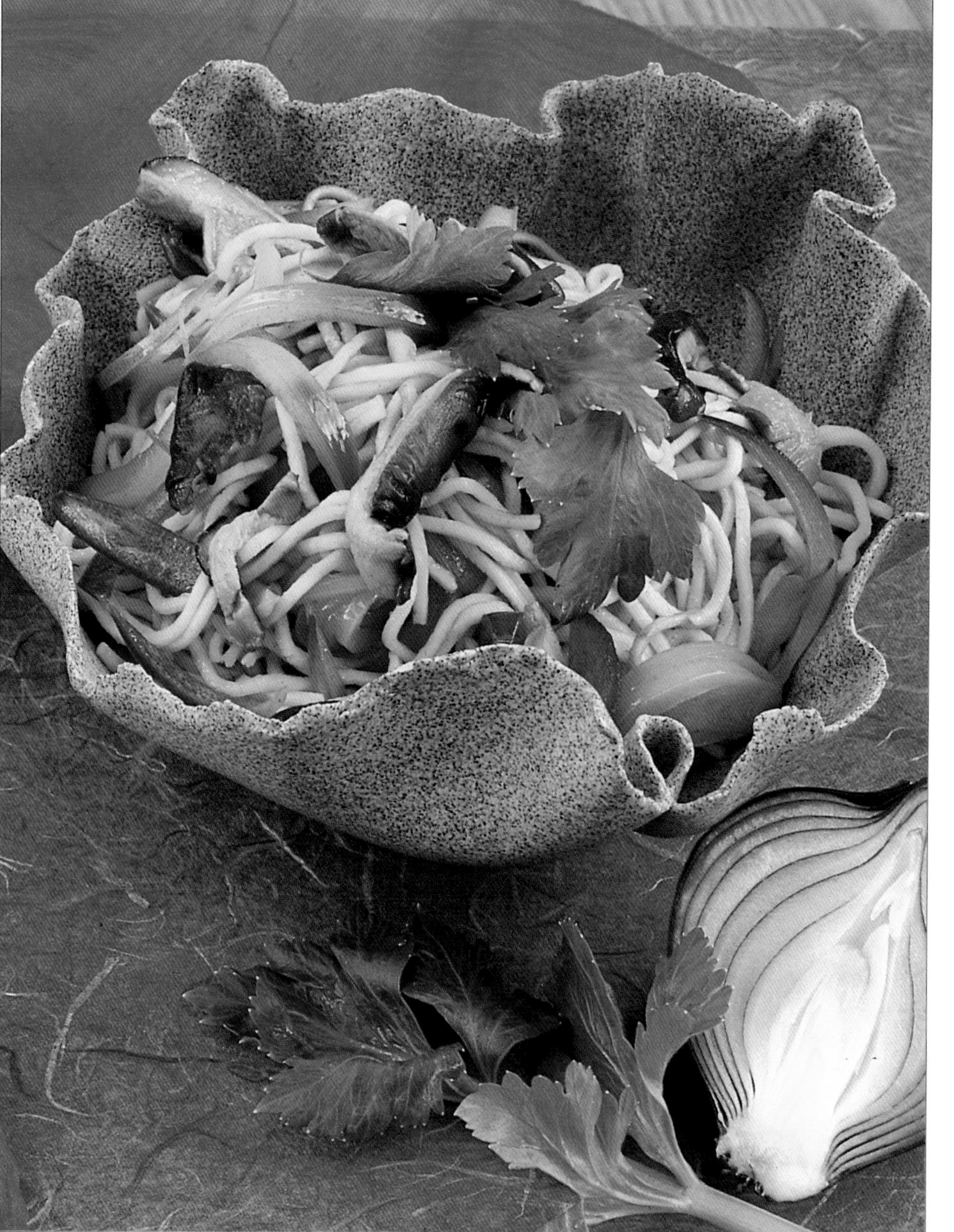

1 Faites cuire les *tagliarini* dans une grande casserole d'eau bouillante salée, selon les instructions du fabricant.

2 Émincez finement l'oignon et les champignons.

3 Dans un wok préchauffé avec 1 cuillerée à soupe d'huile de sésame, faites revenir l'oignon et les champignons pendant 2 minutes.

4 Égouttez les *tagliarini*, avant de les mettre dans le wok avec la sauce de soja, le vinaigre, le sucre et le sel. Mélangez pendant 1 minute, puis versez le reste d'huile de sésame et servez, décoré de feuilles de céleri.

Nouilles au sésame dans des feuilles de laitue

INGRÉDIENTS

Pour 4 personnes

1 cuil. à soupe d'huile végétale
2 magrets de canard d'environ 225 g chacun, parés
4 cuil. à soupe de saké
4 cuil. à soupe de sauce de soja
2 cuil. à soupe de mirin
1 cuil. à soupe de sucre
1/2 concombre coupé en deux, épépiné et finement détaillé
2 cuil. à soupe d'oignon rouge haché
2 piments rouges épépinés et hachés menu
2 cuil. à soupe de vinaigre de riz
115 g de vermicelles de riz, ramollis après avoir trempé dans de l'eau chaude
1 cuil. à soupe d'huile de sésame
1 cuil. à soupe de graines de sésame grillées
quelques feuilles de coriandre
12 à 16 grandes feuilles rouges ou vertes de salade
quelques feuilles de menthe
sel et poivre noir du moulin

1 Faites chauffer l'huile dans une grande poêle. Ajoutez les magrets, la peau en dessous, et laissez-les dorer. Retournez-les pour faire dorer l'autre côté. Retirez les magrets, rincez-les sous l'eau chaude, puis égouttez-les.

2 Mélangez le saké, la sauce de soja, le mirin et le sucre dans une casserole suffisamment grande pour contenir les deux magrets côte à côte. Portez à ébullition et ajoutez le canard, la peau en dessous. Laissez mijoter 3 à 5 minutes, en fonction de la grosseur des magrets. Retirez du feu et laissez refroidir dans le jus de cuisson.

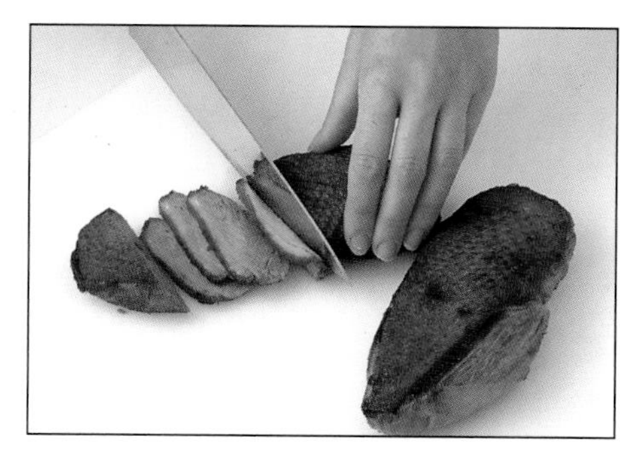

3 Posez les magrets sur une planche, puis coupez-les en tranches fines. Faites chauffer le jus de cuisson à feu doux, jusqu'à ce qu'il réduise et prenne la consistance d'une sauce. Réservez.

4 Réunissez dans un saladier l'oignon, le concombre, les piments et le vinaigre, puis réservez.

5 Faites cuire les nouilles 3 minutes dans une casserole d'eau bouillante. Égouttez-les et rincez-les sous l'eau froide. Égouttez-les de nouveau, puis renversez-les dans un saladier et mélangez-les avec l'huile et les graines de sésame. Salez et poivrez.

6 Disposez la sauce, les feuilles de coriandre et de menthe séparément, à côté des nouilles et de la préparation au concombre. Dressez les feuilles de salade et le canard sur des assiettes individuelles.

7 Pour servir, posez sur une feuille de laitue quelques tranches de canard, des nouilles, du concombre, des herbes et nappez de sauce. Enroulez et nouez.

Nouilles frites

Cette préparation très simple peut servir d'accompagnement à un plat, ou permettre d'improviser rapidement un repas. Pour l'enrichir de protéines, il suffit d'y ajouter 1 œuf. Elle peut également se rehausser de sauce d'huître et d'1 cuillerée de sauce de haricots noirs au piment.

INGRÉDIENTS

Pour 4 à 6 personnes

350 g de nouilles aux œufs sèches
2 cuil. à soupe d'huile végétale
2 cuil. à soupe de ciboules hachées menu
1 cuil. à soupe de sauce de soja
sel et poivre noir du moulin

1 Faites cuire les nouilles en suivant les instructions du fabricant. Égouttez-les, rincez-les sous l'eau froide, puis égouttez-les de nouveau soigneusement.

2 Faites chauffer l'huile dans un wok. Ajoutez les ciboules et remuez pendant 30 secondes. Incorporez les nouilles, en les séparant.

3 Réduisez le feu et laissez chauffer les nouilles, jusqu'à ce qu'elles soient dorées et croustillantes à l'extérieur, mais tendres à l'intérieur.

4 Assaisonnez de sauce de soja, de sel et de poivre. Servez aussitôt.

Nouilles frites aux œufs

La pâte de soja jaune relève agréablement ce plat de nouilles.

INGRÉDIENTS

Pour 4 à 6 personnes

350 g de nouilles moyennes aux œufs
4 cuil. à soupe d'huile végétale
4 ciboules coupées en tronçons de 1 cm
le jus d'1 citron vert
1 cuil. à soupe de sauce de soja
2 gousses d'ail finement hachées
175 g de blancs de poulet sans la peau coupés en tranches
175 g de crevettes crues décortiquées et sans les veines
175 g de calmars nettoyés et détaillés en anneaux
1 cuil. à soupe de pâte de soja jaune
1 cuil. à soupe de sauce de poisson
1 cuil. à soupe de sucre roux
2 œufs
quelques feuilles de coriandre, pour la décoration

1 Faites cuire les nouilles dans une grande casserole d'eau bouillante, puis égouttez-les et réservez.

2 Faites chauffer l'huile dans un wok ou une grande poêle. Ajoutez les ciboules et laissez-les blondir 2 minutes. Incorporez ensuite les nouilles, le jus de citron, la sauce de soja, et remuez pendant 2 à 3 minutes. Versez dans un saladier et gardez au chaud.

3 Faites sauter l'ail, le poulet, les crevettes et les calmars à feu vif dans le reste d'huile chaude.

4 Ajoutez la pâte de soja jaune, la sauce de poisson, le sucre, puis cassez les œufs dans la préparation, en remuant doucement jusqu'à ce qu'ils soient cuits.

5 Remettez les nouilles et faites-les chauffer. Servez décoré de feuilles de coriandre.

Nouilles aux cacahuètes

Choisissez les légumes en fonction de ce dont vous disposez pour composer un repas simple et rapide. Vous pourrez aussi augmenter la proportion de piment, si vous aimez les saveurs fortes !

INGRÉDIENTS

Pour 4 personnes

200 g de nouilles moyennes aux œufs
2 cuil. à soupe d'huile d'olive
2 gousses d'ail écrasées
1 gros oignon grossièrement haché
1 poivron rouge épépiné et grossièrement haché
1 poivron jaune épépiné et grossièrement haché
350 g de courgettes grossièrement hachées
150 g de cacahuètes non salées grillées et grossièrement hachées

L'assaisonnement

2 cuil. à soupe et 1/2 d'huile d'olive
le zeste râpé et le jus d'1 citron
1 piment rouge frais épépiné et finement haché
4 cuil. à soupe de ciboules hachées
1 à 2 cuil. à soupe de vinaigre balsamique
sel et poivre noir du moulin

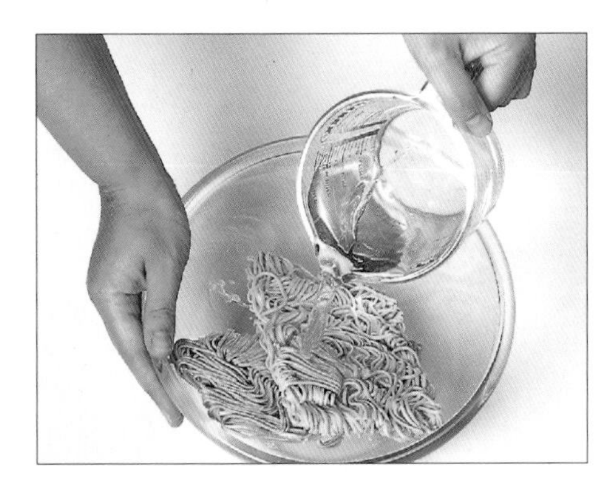

1 Faites tremper les nouilles selon les instructions du fabricant, puis égouttez-les soigneusement.

2 Dans le même temps, faites chauffer l'huile dans un wok préchauffé ou une grande poêle. Laissez blondir l'ail et l'oignon pendant 3 minutes. Ajoutez les poivrons, les courgettes, et faites dorer à feu moyen 15 minutes. Incorporez les cacahuètes et poursuivez la cuisson encore 1 minute.

3 Pour l'assaisonnement, mélangez l'huile d'olive, le zeste de citron, 3 cuillerées à soupe de jus de citron, le piment, 3 cuillerées à soupe de ciboules, le vinaigre, du sel et du poivre.

4 Incorporez les nouilles aux légumes et faites chauffer. Versez l'assaisonnement, remuez et servez aussitôt, agrémenté du reste de ciboules.

Nouilles de Singapour

Des champignons chinois séchés enrichissent de leur saveur intense ce plat légèrement épicé.

Bon mais mettre un peu + de légumes

INGRÉDIENTS

Pour 4 personnes

20 g de champignons shiitake séchés
225 g de nouilles fines aux œufs
2 cuil. à café d'huile de sésame
3 cuil. à soupe d'huile d'arachide
2 gousses d'ail écrasées
1 petit oignon haché
1 piment vert frais épépiné
et finement émincé
2 cuil. à café de poudre de curry
115 g de haricots verts coupés en deux
115 g de chou chinois détaillé en julienne
4 ciboules émincées
2 cuil. à soupe de sauce de soja
115 g de crevettes cuites décortiquées
et sans les veines
sel

1 Mettez les champignons shiitake dans un saladier, couvrez-les d'eau chaude et laissez-les tremper 30 minutes. Égouttez-les, en réservant 2 cuillerées à soupe de l'eau, puis détaillez-les finement.

2 Faites cuire les nouilles dans une casserole d'eau bouillante salée, selon les instructions du fabricant. Égouttez-les, renversez-les dans un saladier et mélangez-les avec l'huile de sésame.

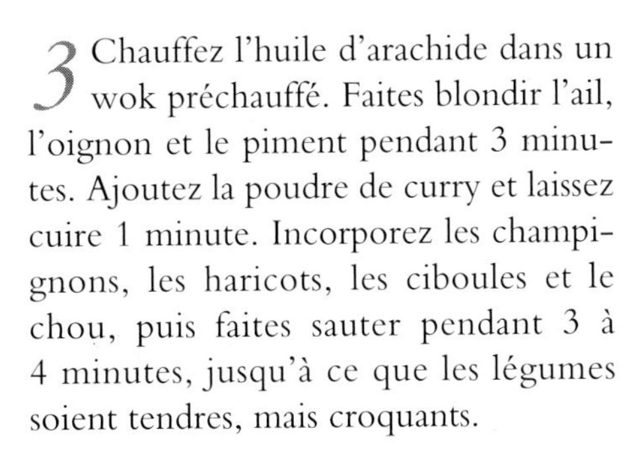

3 Chauffez l'huile d'arachide dans un wok préchauffé. Faites blondir l'ail, l'oignon et le piment pendant 3 minutes. Ajoutez la poudre de curry et laissez cuire 1 minute. Incorporez les champignons, les haricots, les ciboules et le chou, puis faites sauter pendant 3 à 4 minutes, jusqu'à ce que les légumes soient tendres, mais croquants.

4 Incorporez les nouilles, la sauce de soja, l'eau des champignons et les crevettes. Laissez chauffer encore 2 à 3 minutes en remuant.

CONSEIL

Vous pouvez varier le choix de légumes en incorporant des pois mange-tout, des brocolis, des poivrons ou même des épis de maïs. Vous pouvez remplacer les crevettes par du jambon ou du poulet.

Champignons chinois aux nouilles cellophane

La pâte de soja rouge rehausse ce plat végétarien consistant. Offrant une couleur rouge brique et une saveur prononcée, elle est à base de pâte de soja (tofu) que l'on fait fermenter avec du sel, du riz rouge et du vin de riz. Elle se vend en boîtes de conserve ou en bocaux dans les épiceries asiatiques.

INGRÉDIENTS

Pour 4 personnes

115 g de champignons chinois séchés
25 g de champignons noirs séchés
115 g de tofu séché
2 cuil. à soupe d'huile végétale
2 gousses d'ail finement hachées
2 tranches de gingembre frais hachées menu
10 grains de poivre du Sichuan écrasés
1 cuil. à soupe de pâte de soja rouge
1/2 gousse d'anis étoilé
1 pincée de sucre
1 à 2 cuil. à soupe de sauce de soja
50 g de nouilles cellophane, ramollies après avoir trempé dans de l'eau chaude
sel

1 Mettez à tremper les champignons chinois et les champignons noirs séparément dans de l'eau chaude pendant 30 minutes. Coupez le tofu en petits morceaux et laissez-le tremper dans l'eau, selon les instructions du fabricant.

CONSEIL

Vous pouvez remplacer le poivre du Sichuan par des grains de poivre noir ordinaire.

2 Égouttez les champignons chinois. Exprimez-en le maximum de liquide, que vous réservez, puis jetez les queues. Coupez les chapeaux en deux s'ils sont gros.

3 Les champignons noirs doivent être cinq fois plus gros qu'à l'origine. Égouttez-les, rincez-les bien, puis égouttez-les de nouveau. Jetez les parties dures, puis détaillez chacun en 2 ou 3 morceaux.

4 Dans une poêle préchauffée avec l'huile, faites revenir l'ail, le gingembre et les grains de poivre quelques secondes, puis incorporez les champignons chinois et la pâte de soja rouge. Mélangez et laissez chauffer 5 minutes.

5 Versez le liquide réservé dans la poêle, en ajoutant si besoin de l'eau pour couvrir les champignons. Incorporez l'anis étoilé, le sucre, la sauce de soja, puis laissez frémir 30 minutes à couvert.

6 Ajoutez les champignons noirs et le tofu reconstitué. Couvrez et laissez cuire 10 minutes.

7 Égouttez les nouilles cellophane, mélangez-les à la préparation et poursuivez la cuisson encore 10 minutes, en mouillant si besoin avec du liquide des champignons. Salez et servez.

Nouilles thaïes aux ciboules

Cette recette nécessite une préparation assez longue, mais la cuisson est très rapide. Le plat doit être servi dès qu'il est prêt.

INGRÉDIENTS

Pour 4 personnes

350 g de nouilles de riz sèches
1 cm de gingembre frais râpé
2 cuil. à soupe de sauce de soja claire
3 cuil. à soupe d'huile végétale
225 g de *quorn* coupé en petits cubes
2 gousses d'ail écrasées
1 gros oignon coupé en petits morceaux
115 g de tofu frit coupé en tranches fines
1 piment vert frais épépiné et finement émincé
175 g de germes de soja
115 g de ciboules détaillées en tronçons de 5 cm
50 g de cacahuètes grillées moulues
2 cuil. à soupe de sauce de soja foncée
quelques feuilles de coriandre fraîche, pour la décoration

1 Mettez les nouilles dans un grand saladier, couvrez-les d'eau chaude et laissez-les tremper 20 à 30 minutes, puis égouttez-les. Mélangez dans un saladier le gingembre, la sauce de soja claire et 1 cuillerée à soupe d'huile. Ajoutez le *quorn* et laissez reposer 10 minutes. Égouttez, en réservant la marinade.

2 Faites chauffer 1 cuillerée à soupe d'huile dans un wok préchauffé ou une poêle, puis laissez blondir l'ail pendant quelques secondes. Incorporez le *quorn* et faites revenir 3 à 4 minutes. Réservez sur une assiette.

3 Chauffez le reste d'huile dans le wok ou la poêle, et mettez l'oignon à dorer 3 à 4 minutes. Incorporez le tofu et le piment, remuez avant d'ajouter les nouilles. Faites revenir encore 4 à 5 minutes.

4 Mélangez les germes de soja, les ciboules et presque toutes les cacahuètes moulues – gardez-en juste un peu pour la décoration. Ajoutez la préparation au *quorn*, la sauce de soja foncée et la marinade.

5 Laissez chauffer, puis dressez sur des assiettes et décorez de cacahuètes et de coriandre.

CONSEIL

Le *quorn* donne à ce plat une note végétarienne, mais vous pouvez le remplacer par du porc ou du poulet émincés que vous ferez d'abord rissoler pendant 4 à 5 minutes.

Marmite de nouilles udon

INGRÉDIENTS

Pour 4 personnes

350 g de nouilles *udon* sèches
1 grosse carotte coupée en morceaux
225 g de blancs de poulet sans la peau coupés en petits morceaux
8 grosses crevettes décortiquées et sans les veines
4 à 6 feuilles de chou chinois détaillées en petits morceaux
8 champignons shiitake équeutés
50 g de pois mange-tout épluchés
1,5 l de bouillon de volaille ou de bouillon instantané de bonite
2 cuil. à soupe de mirin
1 cuil. à soupe de sauce de soja
1 botte de ciboules finement hachées, 2 cuil. à soupe de gingembre frais râpé, quelques quartiers de citron et de la sauce de soja, pour le service

1 Faites cuire les nouilles en suivant les instructions du fabricant. Égouttez-les, rincez-les sous l'eau froide, puis égouttez-les de nouveau. Ébouillantez la carotte 1 minute, puis égouttez-la.

2 Mettez les nouilles et les morceaux de carotte dans une cocotte. Ajoutez le blanc de poulet, les crevettes, le chou, les champignons shiitake et les pois mange-tout.

3 Faites bouillir le bouillon dans une casserole. Ajoutez le mirin et la sauce de soja. Versez ensuite dans la cocotte. Couvrez, portez à ébullition, puis laissez frémir 5 à 6 minutes, jusqu'à ce que les ingrédients soient cuits.

4 Servez avec les ciboules, le gingembre, les quartiers de citron et un peu de sauce de soja.

Chow Mein de porc et de fruits de mer

INGRÉDIENTS

Pour 4 à 6 personnes

450 g de nouilles épaisses aux œufs
2 gousses d'ail hachées
2 ciboules détaillées en petites sections
3 cuil. à soupe d'huile végétale
50 g de filet de porc coupé en tranches, ou de rôti de porc chinois coupé en lamelles
50 g de foie de porc émincé
75 g de crevettes crues décortiquées et sans les veines
50 g de calmars préparés et détaillés en anneaux
50 g de coques ou de moules
115 g de feuilles de cresson
2 piments rouges épépinés et finement émincés
2 à 3 cuil. à soupe de sauce de soja
1 cuil. à soupe d'huile de sésame
sel et poivre noir du moulin

1 Faites cuire les nouilles dans une grande casserole d'eau bouillante, puis égouttez-les soigneusement.

2 Dans un wok préchauffé avec l'huile, faites revenir l'ail et les ciboules 30 secondes. Ajoutez le foie, les crevettes, les calmars, les coques ou les moules et le filet de porc si c'est le cas. Laissez rissoler 2 minutes à feu vif.

3 Incorporez le cresson, les piments, et poursuivez la cuisson pendant 3 à 4 minutes, jusqu'à ce que la viande soit cuite.

4 Mélangez délicatement les nouilles, puis éventuellement le rôti de porc chinois. Assaisonnez de sauce de soja, de sel et de poivre, et chauffez encore quelques minutes. Versez l'huile de sésame, remuez et servez.

Nouilles cellophane au porc

Contrairement à d'autres variétés de nouilles, celles-ci peuvent se réchauffer.

INGRÉDIENTS

Pour 3 à 4 personnes

115 g de nouilles cellophane
4 champignons noirs séchés
225 g de porc maigre désossé
2 cuil. à soupe de sauce de soja foncée
2 cuil. à soupe de vin de riz chinois ou de Xérès sec
2 gousses d'ail écrasées
1 cuil. à soupe de gingembre frais râpé
1 cuil. à café d'huile au piment
3 cuil. à soupe d'huile d'arachide
4 à 6 ciboules hachées
1 cuil. à café de Maïzena délayée dans 20 cl de bouillon de volaille ou d'eau
2 cuil. à soupe de coriandre fraîche ciselée
sel et poivre noir du moulin
quelques feuilles de coriandre fraîche, pour la décoration

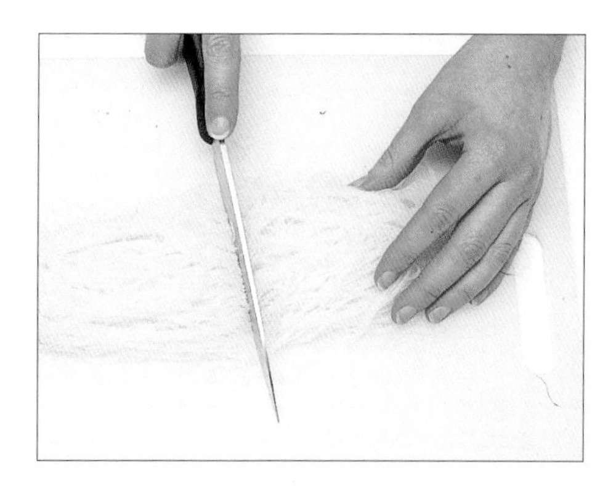

1 Mettez les nouilles et les champignons dans des saladiers séparés et couvrez-les d'eau chaude. Laissez-les tremper 15 à 20 minutes, puis égouttez-les soigneusement. Coupez les nouilles en sections de 12,5 cm avec des ciseaux ou un couteau. Exprimez l'eau des champignons, jetez les queues et hachez finement les chapeaux.

2 Détaillez le porc en petits cubes dans un saladier. Ajoutez la sauce de soja, le vin de riz ou le Xérès sec, l'ail, le gingembre et l'huile au piment, et mélangez. Laissez mariner 15 minutes, puis égouttez, en réservant la marinade.

3 Faites chauffer l'huile d'arachide dans un wok préchauffé. Mettez à rissoler le porc et les champignons pendant 3 minutes. Incorporez les ciboules et remuez 1 minute. Ajoutez la pâte de Maïzena et la marinade. Assaisonnez et laissez chauffer encore 1 minute.

4 Incorporez les nouilles, puis remuez 2 minutes, jusqu'à ce qu'elles absorbent en partie le liquide et que le porc soit cuit. Parsemez de coriandre ciselée et servez aussitôt, décoré de feuilles de coriandre.

Nouilles au poulet, aux crevettes et au jambon

Les nouilles aux œufs peuvent être cuites 24 heures à l'avance et conservées dans de l'eau froide.

INGRÉDIENTS

Pour 4 à 6 personnes

275 g de nouilles sèches aux œufs
1 cuil. à soupe d'huile végétale
1 oignon moyen haché
1 gousse d'ail écrasée
2,5 cm de gingembre frais haché
50 g de châtaignes d'eau en boîte, égouttées et émincées
1 cuil. à soupe de sauce de soja claire
2 cuil. à soupe de sauce de poisson ou de bouillon de volaille
175 g de blancs de poulet cuits coupés en tranches
150 g de jambon en tranches détaillé en petits morceaux
225 g de crevettes cuites décortiquées et sans la tête
175 g de germes de soja
200 g de petits épis de maïs en boîte, égouttés
quelques quartiers de citron vert et 1 botte de coriandre ciselée, pour la décoration

1 Faites cuire les nouilles, selon les instructions du fabricant. Égouttez-les soigneusement et réservez.

2 Dans un wok préchauffé avec l'huile, faites revenir le gingembre, l'oignon et l'ail 3 minutes, sans laisser dorer. Ajoutez les châtaignes d'eau, le poulet, le jambon, les crevettes, la sauce de soja, la sauce de poisson ou le bouillon de volaille.

3 Incorporez les nouilles, les germes de soja, les épis de maïs et laissez chauffer pendant 6 à 8 minutes, en remuant. Dressez sur un plat de service chaud, décorez de quartiers de citron et de coriandre avant de servir.

Chow Mein de fruits de mer

Cette recette peut être adaptée en choisissant des ingrédients différents pour la garniture.

INGRÉDIENTS

Pour 4 personnes

75 g de calmars nettoyés
75 g de crevettes crues
3 à 4 noix de Saint-Jacques fraîches
1/2 blanc d'œuf
1 cuil. à soupe de pâte de Maïzena
250 g de nouilles aux œufs
5 à 6 cuil. à soupe d'huile végétale
50 g de pois mange-tout
1/2 cuil. à café de sel
1/2 cuil. à café de sucre roux
1 cuil. à soupe de vin de riz chinois ou de Xérès sec
2 cuil. à soupe de sauce de soja claire
2 ciboules, détaillées en lanières
bouillon clair, si besoin *(voir p. 16)*
quelques gouttes d'huile de sésame

1 Ouvrez les calmars et incisez l'intérieur en croisillons avec un couteau tranchant. Détaillez-les en petits morceaux, puis laissez-les tremper dans un saladier d'eau chaude jusqu'à ce qu'ils se recroquevillent. Rincez-les sous l'eau froide et égouttez-les.

2 Décortiquez les crevettes, retirez les veines et coupez-les en deux.

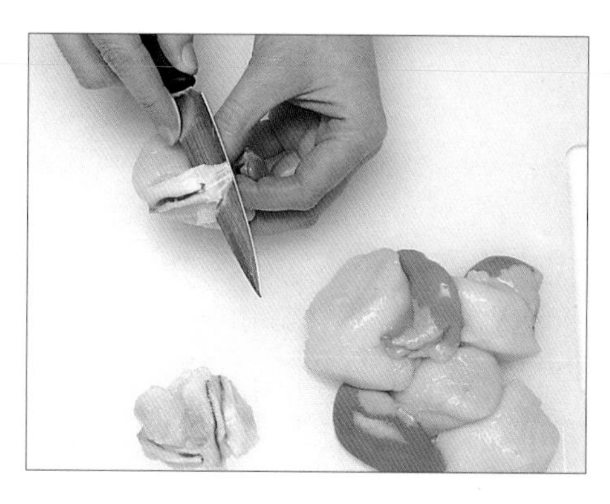

3 Détaillez les Saint-Jacques en 4 morceaux. Mélangez avec les crevettes, le blanc d'œuf et la pâte de Maïzena.

4 Faites cuire les nouilles dans de l'eau bouillante, selon les instructions du fabricant. Égouttez-les et rincez-les sous l'eau froide. Mélangez-les avec 1 cuillerée à soupe d'huile.

5 Dans un wok préchauffé avec 2 à 3 cuillerées à soupe d'huile, faites sauter les pois mange-tout, les calmars et la préparation aux crevettes pendant 2 minutes. Ajoutez le sel, le sucre, le vin de riz ou le Xérès, la moitié de la sauce de soja et les ciboules. Mélangez et mouillez si besoin avec du bouillon. Retirez du wok et maintenez au chaud.

6 Chauffez le reste d'huile dans le wok pour y réchauffer les nouilles avec le reste de sauce de soja 2 à 3 minutes. Dressez sur un grand plat de service, nappez de garniture et arrosez d'huile de sésame. Servez chaud ou froid.

富
貴
福

Nouilles sautées à la mode de Singapour

Mee goreng est sans doute la spécialité la plus connue de Singapour. Elle réunit de nombreux ingrédients.

INGRÉDIENTS

Pour 4 à 6 personnes

275 g de nouilles aux œufs
150 g de blancs de poulet sans la peau
115 g de porc maigre
175 g de queues de crevettes crues ou cuites décortiquées
2 cuil. à soupe d'huile végétale
4 échalotes ou 1 oignon moyen hachés
2 cm de gingembre frais finement émincé
2 gousses d'ail écrasées
3 cuil. à soupe de sauce de soja claire
1 à 2 cuil. à café de sauce de piment
1 cuil. à soupe de vinaigre de riz ou de vinaigre de vin blanc
1 cuil. à café de sucre
1/2 cuil. à café de sel
115 g de chou chinois détaillé en julienne
115 g d'épinards détaillés en lanières
3 ciboules détaillées en lanières

1 Faites cuire les nouilles dans une grande casserole d'eau bouillante salée, selon les instructions du fabricant. Égouttez-les et réservez. Laissez durcir, mais non congeler, le poulet et le porc pendant 30 minutes dans le congélateur.

2 Détaillez la viande en tranches fines. Dans un wok préchauffé avec l'huile, faites rissoler les crevettes, le poulet et le porc pendant 2 à 3 minutes. Ajoutez les échalotes ou l'oignon, l'ail et le gingembre, et remuez 2 à 3 minutes, sans laisser dorer.

3 Incorporez la sauce de soja, la sauce de piment, le vinaigre, le sucre et le sel. Laissez frissonner avant d'y mélanger le chou, les épinards et les ciboules. Faites cuire 3 à 4 minutes à couvert. Ajoutez les nouilles, laissez chauffer encore un peu et servez.

Nouilles de crevettes à la sauce de gingembre

Les crevettes font partie intégrante du répertoire culinaire japonais. Elles sont présentées ici dans des nouilles croustillantes.

INGRÉDIENTS

Pour 4 à 6 personnes

75 g de nouilles *somen* ou de vermicelles
3 feuilles de *nori*
12 queues de grosses crevettes crues décortiquées et sans les veines
huile végétale, pour la friture

La sauce d'accompagnement

6 cuil. à soupe de sauce de soja
2 cuil. à soupe de sucre
2 cm de gingembre frais râpé

1 Laissez tremper les nouilles *somen* 1 à 2 minutes dans de l'eau bouillante. Égouttez-les, puis posez-les sur du papier absorbant. Détaillez-les en sections de 7,5 cm. Si vous avez choisi des vermicelles, faites-les ramollir 1 à 2 minutes dans l'eau bouillante. Égouttez-les et réservez. Coupez les feuilles de *nori* en bandes de 1 x 5 cm, puis réservez.

2 Pour préparer la sauce, portez à ébullition la sauce de soja dans une casserole avec le sucre et le gingembre. Laissez frémir 2 à 3 minutes. Filtrez et laissez refroidir.

3 Alignez les nouilles ou les vermicelles sur une planche à découper. Enfilez une brochette de bambou dans la longueur de chaque crevette. Roulez les crevettes dans les nouilles ou les vermicelles.

4 Mouillez une extrémité des bandes de *nori*, puis enroulez-les autour de l'extrémité large des crevettes. Réservez.

5 Faites chauffer l'huile à 180 °C dans un wok préchauffé muni d'une grille, ou dans une friteuse. Mettez à frire les crevettes 2 par 2, jusqu'à ce que les nouilles ou les vermicelles soient dorés et croustillants.

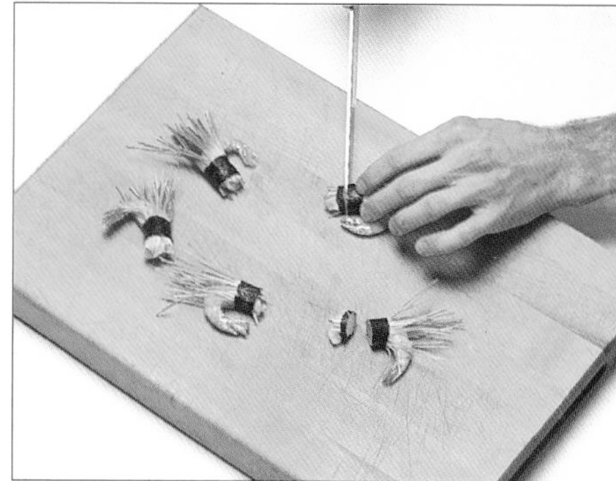

6 Entaillez les bandes de *nori* avec un couteau pointu, pour laisser apparaître nettement les crevettes. Posez sur du papier absorbant et présentez la sauce d'accompagnement séparément.

Soupe piquante aux nouilles et aux crevettes

Cette préparation se compose d'un bouillon chaud à la noix de coco accompagnant un plat de crevettes, de poisson et de nouilles. Les convives choisissent à leur gré les ingrédients qu'ils plongent dans le bouillon.

INGRÉDIENTS

Pour 4 à 6 personnes

25 g de noix de cajou crues
3 échalotes ou 1 oignon moyen émincés
5 cm de citronnelle détaillée en lamelles
2 gousses d'ail écrasées
150 g de nouilles *laksa* (nouilles de riz de la taille de spaghetti) ayant trempé 10 minutes dans de l'eau
2 cuil. à soupe d'huile végétale
1 cm de pâte de crevettes ou 1 cuil. à soupe de sauce de poisson
1 cuil. à soupe de pâte de curry douce
400 g de lait de coco en boîte
1/2 cube de bouillon de volaille
3 feuilles de curry (facultatif)
450 g de filets de poisson blanc (cabillaud, haddock ou merlan)
225 g de queues de crevettes crues ou cuites décortiquées
1 laitue romaine coupée en chiffonnade
115 g de germes de soja
3 ciboules détaillées en lamelles
1/2 concombre coupé en bâtonnets
des beignets de crevettes, pour le service

1 Broyez les noix de cajou avec les échalotes ou l'oignon, la citronnelle et l'ail dans un mortier ou un mixer. Faites cuire les nouilles selon les instructions du fabricant.

2 Dans un wok préchauffé avec l'huile, faites sauter la préparation précédente pendant 1 à 2 minutes, jusqu'à ce que les noix commencent à dorer.

3 Incorporez la pâte de crevettes ou la sauce de poisson et la pâte de curry, puis le lait de coco, le bouillon et les feuilles de curry. Laissez frémir 10 minutes.

4 Détaillez le poisson en petits morceaux. Ajoutez-le ainsi que les crevettes dans le bouillon, puis poursuivez la cuisson à feu doux 3 à 4 minutes.

5 Garnissez un grand plat de service de feuilles de laitue. Disposez en tas les germes de soja, le concombre, les ciboules, le poisson, les nouilles et les beignets de crevettes. Servez le bouillon séparément, dans un poêlon en terre.

CONSEIL

Pour cuire plus facilement le poisson et les crevettes, vous pouvez les mettre dans un panier à friture avant de les plonger dans le bouillon.

Nouilles de riz au bœuf et aux haricots noirs

Le bœuf se relève d'une sauce pimentée et s'enrichit de nouilles de riz à la texture lisse.

INGRÉDIENTS

Pour 4 personnes

450 g de nouilles de riz fraîches
4 cuil. à soupe d'huile végétale
1 oignon finement émincé
2 gousses d'ail finement hachées
2 tranches de gingembre frais finement hachées
225 g de poivrons mélangés épépinés et détaillés en lanières
350 g de rumsteck coupé en tranches fines
3 cuil. à soupe de haricots noirs fermentés, ayant trempé dans de l'eau chaude, égouttés et hachés
2 cuil. à soupe de sauce de soja
2 cuil. à soupe de sauce d'huître
1 cuil. à soupe de sauce de haricots noirs au piment
1 cuil. à soupe de Maïzena
10 cl de bouillon ou d'eau
sel et poivre noir du moulin
2 ciboules finement hachées, et 2 piments rouges épépinés et finement émincés, pour la décoration

1 Rincez les nouilles à l'eau chaude, puis égouttez-les soigneusement. Faites chauffer la moitié de l'huile dans un wok ou une grande poêle, en l'étalant bien. Ajoutez l'oignon, l'ail, le gingembre et les poivrons. Remuez pendant 3 à 5 minutes, puis retirez avec une écumoire et gardez au chaud.

2 Faites chauffer le reste d'huile dans le wok. Ajoutez le bœuf, les haricots noirs fermentés, et laissez cuire 5 minutes à feu vif.

3 Mélangez dans un petit saladier la sauce de soja, la sauce d'huître, la sauce de haricots noirs au piment, la Maïzena, le bouillon ou l'eau. Versez dans le wok, puis ajoutez la préparation à l'oignon et laissez chauffer pendant 1 minute, en remuant.

4 Incorporez les nouilles et réchauffez-les à feu moyen. Rectifiez si besoin l'assaisonnement. Servez aussitôt, décoré de ciboules et de piments.

Boulettes de porc aux nouilles

Ces boulettes de viande, décorées de nouilles croustillantes, sont très faciles à confectionner.

INGRÉDIENTS

Pour 4 personnes

400 g de porc haché
2 gousses d'ail finement hachées
2 cuil. à soupe de coriandre fraîche ciselée
1 cuil. à soupe de sauce d'huître
2 cuil. à soupe de chapelure
1 œuf battu
175 g de nouilles fines aux œufs fraîches
huile de friture
sel et poivre noir du moulin
quelques feuilles de coriandre fraîche, pour la décoration
des feuilles d'épinards et de la sauce au piment ou de la sauce tomate, pour le service

1 Mélangez le porc, l'ail, la coriandre, la sauce d'huître, la chapelure et l'œuf. Salez et poivrez.

2 Travaillez la préparation jusqu'à ce qu'elle devienne collante, puis façonnez-la sous forme de boulettes de la taille de noix.

3 Ébouillantez les nouilles pendant 2 à 3 minutes. Égouttez-les, rincez-les sous l'eau froide, puis égouttez-les de nouveau.

4 Enroulez 3 à 5 nouilles autour de chaque boulette, en formant des croisillons.

5 Chauffez l'huile dans une friteuse ou un wok préchauffé. Mettez à frire les boulettes en plusieurs fois jusqu'à ce qu'elles soient dorées et cuites jusqu'au centre. Retirez-les avec une écumoire, puis posez-les sur du papier absorbant. Servez chaud sur des feuilles d'épinards et décorez de feuilles de coriandre. Présentez séparément la sauce au piment ou la sauce tomate.

Bouillon de coco piquant au poulet et aux crevettes

Cette spécialité indonésienne rassemble divers ingrédients que les convives sélectionnent selon leur envie, pour composer un repas complet.

INGRÉDIENTS

Pour 8 personnes

2 oignons coupés en quatre
2,5 cm de gingembre frais émincé
2 gousses d'ail
8 amandes
1 à 2 piments frais épépinés et émincés
2 tiges de citronnelle émincées sur 5 cm à la base
5 cm de curcuma frais pelé et émincé, ou 1 cuil. à café de curcuma en poudre
1 cuil. à soupe de graines de coriandre grillées
4 cuil. à soupe d'huile de tournesol
40 cl de lait de coco en boîte
1,5 l de bouillon de poulet
350 g de nouilles de riz, ayant trempé dans de l'eau froide
350 g de crevettes décortiquées et sans les veines
sel et poivre noir du moulin

La garniture

4 œufs durs écalés et coupés en quatre
225 g de poulet cuit haché
225 g de germes de soja
1 botte de ciboules coupées en lanières
1 oignon finement émincé et frit

1 Réunissez les oignons, le gingembre, l'ail, les amandes, les piments, la citronnelle et le curcuma dans un mixer. Hachez jusqu'à obtention d'une pâte, ou broyez tous les ingrédients dans un mortier avec un pilon. Écrasez grossièrement les graines de coriandre avant de les ajouter dans la pâte.

2 Dans un wok préchauffé ou une poêle avec l'huile, faites chauffer la pâte épicée, sans la laisser dorer, jusqu'à ce qu'elle libère ses parfums. Versez le lait de coco et le bouillon. Assaisonnez, puis laissez frémir 5 à 10 minutes.

3 Pendant ce temps, égouttez les nouilles et ébouillantez-les pendant 2 minutes dans de l'eau salée. Égouttez-les, rincez-les sous l'eau froide, puis égouttez-les de nouveau. Incorporez les crevettes dans la soupe juste avant de servir et laissez chauffer 1 à 2 minutes.

4 Disposez les différentes garnitures dans des plats séparés. Chaque convive se sert une portion de nouilles, les arrose de soupe, et choisit sa garniture à son gré – œufs, poulet ou germes de soja –, avant de saupoudrer de lanières de ciboules et d'oignon frit.

Soupe aux nouilles

Les Chinois consomment plus volontiers les nouilles sous forme de soupe que sautées.

INGRÉDIENTS

Pour 4 personnes

225 g de blancs de poulet sans la peau, ou de filet de porc
3 à 4 champignons chinois séchés, ayant trempé dans de l'eau
115 g de pousses de bambou en boîte, égouttées et émincées
115 g de feuilles d'épinards, de cœurs de laitue ou de chou chinois
2 ciboules
375 g de nouilles sèches aux œufs
60 cl de bouillon clair *(voir p. 16)*
2 cuil. à soupe d'huile végétale
1 cuil. à café de sel
1/2 cuil. à café de sucre roux
1 cuil. à soupe de sauce de soja claire
2 cuil. à soupe de vin de riz chinois ou de Xérès sec
quelques gouttes d'huile de sésame

1 Détaillez la viande en fines lanières. Exprimez le liquide des champignons et jetez les queues. Coupez finement le chapeau des champignons, les pousses de bambou, les épinards, les cœurs de laitue ou le chou chinois et les ciboules. Faites un tas avec la viande, un second avec les ciboules et un troisième réunissant tous les autres ingrédients.

2 Cuisez les nouilles selon les instructions du fabricant, égouttez-les, rincez-les sous l'eau froide et égouttez. Mettez-les dans un saladier de service.

3 Portez le bouillon à ébullition et versez-le sur les nouilles. Réservez au chaud.

4 Dans un wok préchauffé avec l'huile, faites sauter les ciboules et la viande pendant 1 minute.

5 Incorporez les champignons, les pousses de bambou, les épinards, la laitue ou le chou. Remuez 1 minute, jusqu'à ce que la viande soit cuite.

6 Assaisonnez de sel, de sucre, de sauce de soja, de vin de riz ou de Xérès et d'huile de sésame, puis mélangez intimement. Versez la garniture sur les nouilles et servez.

Les Plats de Riz

Le riz figure parmi les denrées de base dans l'ensemble de l'Asie. Si le riz nature accompagne parfaitement nombre de plats, il peut aussi s'accommoder avec les légumes, les œufs, divers condiments et épices pour créer des mets originaux. Chaque pays, chaque région possède ses propres spécialités à base de riz. Essayez par exemple le Riz sauté à la chinoise, *les* Sushi japonais, *le* Riz thaï au lait de coco *ou le* Gâteau de riz au poulet, *originaire d'Indonésie, sans oublier les* Beignets de riz à la noix de coco, *en-cas sucré en provenance des Philippines.*

Riz nature

Utilisez du riz à grains longs ou du riz parfumé thaïlandais. Comptez 50 g de riz cru par personne. Ne salez pas le riz parfumé.

INGRÉDIENTS

Pour 4 personnes

225 g de riz
environ 25 cl d'eau
1 pincée de sel
1/2 cuil. à café d'huile végétale

1 Lavez et rincez le riz. Mettez-le dans une casserole et versez l'eau. Il ne doit pas y avoir plus de 2 cm d'eau au-dessus du riz.

2 Portez à ébullition, ajoutez le sel et l'huile, puis remuez pour que le riz n'attache pas au fond de la casserole. Réduisez à très petit feu, couvrez et faites cuire pendant 15 à 20 minutes.

3 Retirez du feu et laissez reposer 10 minutes avec le couvercle. Aérez le riz avec une fourchette ou une cuillère juste avant de servir.

Riz aux œufs

Choisissez pour cette recette un riz ferme, et faites-le tremper un peu, si possible, avant de le cuire.

INGRÉDIENTS

Pour 4 personnes

3 œufs
1 cuil. à café de sel
2 ciboules finement hachées
2 à 3 cuil. à soupe d'huile végétale
450 g de riz cuit
115 g de petits pois surgelés

1 Battez les œufs légèrement dans un saladier avec une pincée de sel et quelques morceaux de ciboules.

2 Chauffez l'huile dans un wok préchauffé, puis mettez à cuire la préparation en remuant de manière à obtenir des œufs brouillés.

3 Ajoutez le riz cuit et remuez pour séparer les grains. Incorporez le reste de sel et de ciboules et les petits pois. Mélangez bien, laissez chauffer et servez.

Riz sauté à la chinoise

Cette recette associe à du riz un savoureux mélange de poulet, de crevettes et de légumes.

INGRÉDIENTS

Pour 4 personnes

175 g de riz blanc à grains longs
3 cuil. à soupe d'huile d'arachide
35 cl d'eau
1 gousse d'ail écrasée
4 ciboules finement hachées
115 g de poulet cuit coupé en dés
115 g de crevettes cuites décortiquées
50 g de petits pois surgelés
1 œuf légèrement battu
50 g de laitue coupée en chiffonnade
2 cuil. à soupe de sauce de soja claire
1 pincée de sucre en poudre
sel et poivre noir du moulin
1 cuil. à soupe de noix de cajou grillées hachées, pour la décoration

1 Rincez le riz deux ou trois fois dans l'eau chaude pour en retirer l'amidon, puis égouttez-le soigneusement.

2 Mettez le riz dans une casserole, ajoutez 1 cuillerée à soupe d'huile et l'eau. Couvrez, portez à ébullition et remuez une fois. Couvrez de nouveau et laissez frémir 12 à 15 minutes, jusqu'à absorption presque totale de l'eau. Laissez reposer 10 minutes hors du feu, avec le couvercle. Aérez le riz avec une fourchette et laissez-le refroidir.

3 Faites chauffer le reste d'huile dans un wok préchauffé ou une poêle, puis laissez blondir l'ail et les ciboules pendant 30 secondes.

4 Ajoutez le poulet, les crevettes, les petits pois, et faites sauter pendant 1 à 2 minutes. Incorporez ensuite le riz et poursuivez la cuisson 2 minutes. Versez l'œuf et remuez jusqu'à ce qu'il soit cuit. Mélangez la laitue, la sauce de soja, le sucre et l'assaisonnement.

5 Dressez dans un saladier chaud, saupoudrez de noix de cajou et servez aussitôt.

Œufs Foo Yung

Cette préparation ingénieuse permet d'improviser un repas pour quatre personnes avec des restes de riz.

INGRÉDIENTS

Pour 4 personnes

3 œufs battus
1 pincée de cinq-épices (facultatif)
3 cuil. à soupe d'huile d'arachide ou de tournesol
4 ciboules émincées
1 gousse d'ail écrasée
1 petit poivron vert épépiné et haché
115 g de germes de soja
225 g de riz blanc cuit
3 cuil. à soupe de sauce de soja claire
1 cuil. à soupe d'huile de sésame
sel et poivre noir du moulin

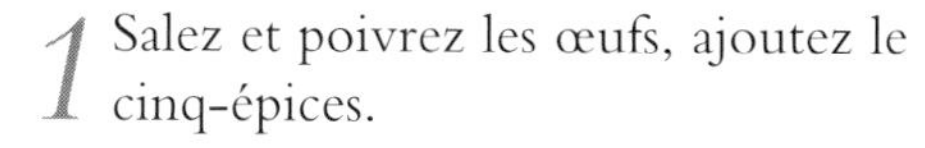

1 Salez et poivrez les œufs, ajoutez le cinq-épices.

2 Faites chauffer 1 cuillerée à soupe d'huile dans un wok préchauffé ou une grande poêle, puis versez les œufs. Faites-les cuire comme une omelette.

3 Lorsque l'omelette est bien cuite, renversez-la sur une assiette. Détaillez-la en lanières et réservez.

4 Chauffez le reste d'huile, puis mettez à sauter les ciboules, l'ail, le poivron et les germes de soja 2 minutes, en remuant sans arrêt.

5 Ajoutez le riz cuit et laissez chauffer, en remuant. Incorporez la sauce de soja et l'huile de sésame, puis mélangez délicatement l'œuf. Servez aussitôt.

Riz sauté à la mode de Malacca

Ce plat confectionné avec des restes de riz donne lieu à diverses interprétations à travers l'Asie. Les ingrédients peuvent varier en fonction de ce dont vous disposez, mais ils comprennent généralement des crevettes.

INGRÉDIENTS

Pour 4 à 6 personnes

2 œufs
3 cuil. à soupe d'huile végétale
4 échalotes ou 1 oignon moyen finement hachés
1 cuil. à café de gingembre frais finement haché
1 gousse d'ail écrasée
225 g de queues de crevettes crues ou cuites décortiquées et sans les veines
1 à 2 cuil. à café de sauce au piment (facultatif)
les pousses de 3 ciboules grossièrement hachées
225 g de petits pois surgelés
225 g de tranches de rôti de porc coupées en dés
3 cuil. à soupe de sauce de soja claire
350 g de riz à grains longs cuit
sel et poivre noir du moulin

1 Battez les œufs dans un saladier, salez et poivrez-les. Chauffez 1 cuillerée à soupe d'huile dans une grande poêle antiadhésive, versez les œufs et faites-les cuire 30 secondes, sans les remuer. Enroulez l'omelette, détaillez-la en fines lanières et réservez.

2 Chauffez le reste d'huile dans un wok préchauffé, ajoutez les échalotes ou l'oignon, le gingembre, l'ail et les crevettes, puis faites sauter pendant 1 à 2 minutes, sans laisser brûler l'ail.

3 Incorporez la sauce au piment, les ciboules, les petits pois, le porc et la sauce de soja. Remuez avant d'ajouter le riz. Faites revenir 6 à 8 minutes à feu moyen. Dressez sur un plat et décorez avec l'omelette en lanières.

Riz à l'asiatique

Encore une idée astucieuse pour utiliser des restes de riz cuit. Il doit être bien froid avant d'être cuisiné, sinon il devient collant. Certains supermarchés vendent du riz cuit surgelé.

INGRÉDIENTS

Pour 4 à 6 personnes

5 cuil. à soupe d'huile
115 g d'échalotes coupées en deux et finement émincées
3 gousses d'ail écrasées
1 piment rouge épépiné et finement haché
6 ciboules finement hachées
1 poivron rouge épépiné et finement haché
225 g de chou blanc détaillé en lanières
175 g de concombre coupé en petits morceaux
50 g de petits pois surgelés, décongelés
3 œufs battus
1 cuil. à café de concentré de tomates
2 cuil. à soupe de jus de citron vert
1/4 de cuil. à café de Tabasco
700 g de riz blanc cuit froid
115 g de noix de cajou grossièrement hachées
sel et poivre noir du moulin
2 cuil. à soupe de coriandre fraîche ciselée, plus quelques feuilles, pour la décoration

1 Chauffez l'huile dans un wok préchauffé ou une poêle antiadhésive, puis mettez à dorer les échalotes jusqu'à ce qu'elles deviennent croustillantes. Retirez-les avec une écumoire et posez-les sur du papier absorbant.

2 Faites revenir l'ail et le piment dans le wok ou la poêle 1 minute, avant d'incorporer les ciboules et le poivron. Laissez cuire pendant 3 à 4 minutes, jusqu'à ce que les ciboules commencent à ramollir.

3 Incorporez le chou, le concombre et les petits pois, et poursuivez la cuisson pendant 2 minutes.

4 Formez un creux au milieu des ingrédients pour y verser les œufs. Faites cuire comme des œufs brouillés, puis mélangez-les aux légumes.

5 Ajoutez le concentré de tomates, le jus de citron, le Tabasco, et remuez soigneusement.

6 Augmentez le feu avant d'incorporer le riz cuit, les noix de cajou et la coriandre. Assaisonnez généreusement et faites sauter le tout encore 3 à 4 minutes. Servez décoré d'échalotes frites et de coriandre.

CONSEIL

700 g de riz cuit équivalent à 250 g de riz non cuit.

Riz aux champignons shiitake

Les champignons shiitake se distinguent par leur parfum et leur saveur prononcés. Cette préparation, simple à réaliser, peut être un accompagnement ou un plat unique.

INGRÉDIENTS

Pour 4 personnes

2 œufs
1 cuil. à soupe d'eau
3 cuil. à soupe d'huile végétale
350 g de champignons shiitake
8 ciboules émincées dans la diagonale
1 gousse d'ail écrasée
1/2 poivron vert épépiné et haché
25 g de beurre
200 g de riz à grains longs cuit
1 cuil. à soupe de Xérès
2 cuil. à soupe de sauce de soja foncée
1 cuil. à soupe de coriandre fraîche ciselée
sel

1 Battez les œufs avec l'eau, puis salez.

2 Chauffez 1 cuillerée à soupe d'huile dans un wok préchauffé, versez les œufs et faites-les cuire en omelette. Soulevez les bords de l'omelette et penchez le wok pour que la partie liquide passe en dessous et cuise à son tour. Enroulez l'omelette, puis détaillez-la en fines lanières.

3 Jetez les pieds des champignons, s'ils sont durs. Émincez finement les chapeaux.

4 Chauffez 1 cuillerée à soupe de l'huile restante dans le wok, puis faites sauter les ciboules et l'ail pendant 3 à 4 minutes, sans laisser dorer. Posez sur une assiette avec une écumoire, et réservez.

5 Faites revenir le poivron pendant 2 à 3 minutes, avant d'ajouter le beurre et le reste d'huile. Lorsque le beurre commence à grésiller, incorporez les champignons et laissez rissoler à feu moyen pendant 3 à 4 minutes.

6 Séparez les grains de riz au maximum. Versez le Xérès sur les champignons, puis ajoutez le riz.

7 Faites chauffer le riz à feu moyen, sans cesser de remuer pour qu'il n'attache pas. S'il est trop sec, versez un peu d'huile. Incorporez les ciboules, l'ail, les morceaux d'omelette, la sauce de soja et la coriandre. Laissez cuire quelques minutes et servez.

Sushi japonais

INGRÉDIENTS

Pour 8 à 10 sushi

Les sushi au thon

3 feuilles de *nori* (feuilles d'algues très fines)
150 g de filet de thon frais coupé en bâtonnets
1 cuil. à café de *wasabi* (raifort japonais)
6 jeunes carottes blanchies
450 g de riz japonais cuit

Les sushi au saumon

2 œufs
1/2 cuil. à café de sel
2 cuil. à café de sucre
5 feuilles de *nori*
450 g de riz japonais cuit
150 g de filet de saumon frais coupé en bâtonnets
1 cuil. à café de *wasabi*
1/2 petit concombre détaillé en fins bâtonnets

1 Pour confectionner les sushi au thon, étalez la moitié d'une feuille de *nori* sur un set de table en bambou, garnissez-la de morceaux de thon sur toute la longueur et assaisonnez de *wasabi* allongé d'eau. Posez les carottes à côté, puis enroulez en serrant bien. Soudez le bord en mouillant avec de l'eau.

2 Posez un carré de papier sulfurisé humide sur le set en bambou, puis recouvrez-le de riz. Placez dessus le rouleau de thon et enroulez en enfermant bien le *nori* à l'intérieur. Retirez le papier et découpez en rouleaux avec un couteau humide.

3 Pour confectionner les sushi au saumon, préparez une omelette en battant les œufs avec le sel et le sucre. Chauffez une poêle antiadhésive, versez la préparation aux œufs et faites-la cuire. Laissez refroidir sur un torchon propre.

4 Posez une feuille de *nori* sur un set en bambou, couvrez-la avec l'omelette et taillez-la aux dimensions voulues. Étalez une épaisseur de riz sur l'omelette et disposez des lanières de saumon dans la largeur. Assaisonnez le saumon de *wasabi* allongé d'eau, avant de poser le concombre à côté. Pliez le set de bambou en deux, puis découpez en rouleaux avec un couteau humide.

Beignets de riz à la noix de coco

Cette succulente spécialité en provenance des Philippines se sert à tout moment de la journée, notamment pour accompagner le café ou le chocolat chaud.

INGRÉDIENTS

Pour 28 beignets

150 g de riz à grains longs cuit
2 cuil. à soupe de lait de coco en poudre
3 cuil. à soupe de sucre
2 jaunes d'œufs
le jus d'1/2 citron
75 g de noix de coco râpée
huile de friture
du sucre glace, pour la décoration

1 Pilez 75 g de riz cuit dans un mortier ou mixez-le dans un mixer jusqu'à obtention d'une pâte lisse et collante. Mélangez-la dans un saladier avec le reste de riz, le lait de coco en poudre, le sucre, les jaunes d'œufs et le jus de citron.

2 Étalez la noix de coco râpée sur un plat. Avec les mains légèrement humides, divisez la préparation au riz en petites portions, puis roulez-la dans la noix de coco en façonnant des boulettes.

3 Faites chauffer l'huile dans un wok ou une friteuse à 180 °C. Faites frire 3 ou 4 boulettes à la fois pendant 1 à 2 minutes, jusqu'à ce qu'elles soient dorées. Posez-les sur une assiette et saupoudrez-les de sucre glace. Piquez un bâtonnet de bois dans chaque beignet et servez-les comme en-cas.

CONSEIL

Pour préparer le chocolat chaud, les Philippins confectionnent d'abord un sirop avec 2 cuillerées à soupe de sucre et 12 cl d'eau, puis ils laissent fondre dedans 115 g de chocolat noir. Enfin, ils incorporent à feu doux 20 cl de lait. Ces proportions conviennent pour 2 personnes.

Riz thaï aux germes de soja

Délicatement parfumé, le riz thaï peut se servir chaud ou froid.

INGRÉDIENTS

Pour 6 personnes

225 g de riz thaï
2 cuil. à soupe d'huile de sésame
2 cuil. à soupe de jus de citron frais
1 petit piment rouge épépiné et haché
1 gousse d'ail écrasée
2 cuil. à café de gingembre frais râpé
2 cuil. à soupe de sauce de soja claire
1 cuil. à café de miel liquide
3 cuil. à soupe de jus d'ananas
1 cuil. à soupe de vinaigre de vin
2 ciboules émincées
2 tranches d'ananas en boîte coupées en morceaux
150 g de germes de soja ou de lentilles
1 petit poivron rouge émincé
1 bâton de céleri émincé
50 g de noix de cajou hachées
2 cuil. à soupe de graines de sésame grillées
sel et poivre noir du moulin

1 Faites tremper le riz 20 minutes, et rincez-le dans plusieurs eaux. Égouttez-le, puis faites-le bouillir 10 à 12 minutes dans de l'eau salée. Égouttez-le et réservez.

2 Mélangez dans un grand saladier l'huile de sésame, le jus de citron, le piment, l'ail, le gingembre, la sauce de soja, le miel, le jus d'ananas et le vinaigre de vin. Incorporez le riz.

3 Ajoutez les ciboules, les morceaux d'ananas, les germes de soja ou de lentilles, le poivron, le céleri, les noix de cajou et les graines de sésame. Mélangez intimement. Si le riz colle en refroidissant, remuez avec une cuillère en métal. Ce plat, qui peut se servir chaud ou froid, accompagne à merveille les viandes et poissons grillés.

CONSEIL

L'huile de sésame offre un parfum de noisette soutenu. On l'utilise en assaisonnement et en marinade davantage que pour cuisiner. Elle peut être mélangée à des huiles plus légères pour atténuer son arôme.

Riz thaï au lait de coco

Ce plat riche se sert avec une salade piquante à la papaye.

INGRÉDIENTS

Pour 4 à 6 personnes

450 g de riz thaï
25 cl d'eau
50 cl de lait de coco
1/2 cuil. à café de sel
2 cuil. à soupe de sucre
quelques lanières de noix de coco fraîche, pour la décoration (facultatif)

1 Lavez le riz plusieurs fois jusqu'à ce que l'eau devienne claire. Mélangez l'eau, le lait de coco, le sel et le sucre dans une cocotte.

2 Versez le riz, couvrez et portez à ébullition. Réduisez le feu et laissez frémir 15 à 20 minutes, jusqu'à ce que le riz soit cuit.

3 Laissez reposer 5 à 10 minutes dans la cocotte, hors du feu. Aérez le riz avec des baguettes.

4 Servez le riz décoré de lanières de noix de coco.

Riz sauté à l'ananas

Choisissez un ananas parfumé, à peau jaune marron. S'il est mûr, il doit sonner creux lorsque vous tapez sur la base, et la chair doit s'enfoncer légèrement quand vous appuyez dessus.

INGRÉDIENTS

Pour 4 à 6 personnes

1 ananas
2 cuil. à soupe d'huile végétale
1 petit oignon finement haché
2 piments verts épépinés et hachés
225 g de porc maigre coupé en petits dés
115 g de crevettes cuites décortiquées
750 g de riz cuit froid
50 g de noix de cajou grillées
2 ciboules hachées
2 cuil. à soupe de sauce de poisson
1 cuil. à soupe de sauce de soja
10 à 12 feuilles de menthe, 2 piments rouges et 1 piment vert émincés, pour la décoration

1 Coupez l'ananas en deux dans la longueur et retirez la chair. Réservez les deux moitiés évidées. Prélevez 115 g de chair que vous hachez, et gardez le reste pour un dessert.

2 Dans un wok ou une grande poêle avec l'huile préchauffée, faites revenir l'oignon et les piments pendant 3 à 5 minutes. Ajoutez le porc et laissez dorer de tous les côtés.

CONSEIL

Cette préparation, présentée de manière originale, fera impression et pourra servir à fêter un événement particulier.

3 Incorporez les crevettes, le riz, puis remuez soigneusement, jusqu'à ce que le riz soit chaud.

4 Mélangez les morceaux d'ananas, les noix de cajou et les ciboules. Assaisonnez de sauce de poisson et de sauce de soja.

5 Remplissez les moitiés d'ananas évidées de cette préparation. Parsemez de feuilles de menthe, et des piments rouges et vert.

Gâteau de riz au poulet

Ce plat se consomme souvent au petit déjeuner, parfois avec du poulet simplement. Les gros mangeurs arrosent le gâteau de riz de sauce de soja et l'enrichissent de crevettes, d'ail et de piment, le tout complété d'un œuf au plat et décoré de feuilles de céleri et d'oignon frit.

INGRÉDIENTS

Pour 6 personnes

1 poulet d'1 kg coupé en 4 morceaux
1,75 l d'eau
1 gros oignon coupé en quatre
2,5 cm de gingembre frais coupé en deux et écrasé
350 g de riz thaï rincé
sel et poivre noir du moulin
quelques crevettes cuites décortiquées, 1 piment coupé en lanières, 1 oignon frit, et des feuilles de céleri, pour la décoration (facultatif)

1 Mettez le poulet dans une grande casserole avec l'eau, l'oignon et le gingembre. Salez, poivrez, portez à ébullition, puis laissez frémir 45 à 50 minutes, jusqu'à ce que le poulet soit tendre. Retirez le poulet de la casserole et réservez le bouillon. Enlevez la peau des morceaux de poulet. Détachez la chair, puis détaillez-la en petits morceaux.

2 Filtrez et mesurez le bouillon de poulet réservé. Ajoutez de l'eau pour obtenir 1,75 litre de liquide, puis transvasez dans une casserole propre.

3 Versez le riz et portez-le à ébullition, en remuant sans arrêt. Baissez le feu, puis laissez frémir doucement pendant 20 minutes. Remuez, couvrez et poursuivez la cuisson encore 20 minutes, en tournant de temps en temps, jusqu'à ce que le riz soit tendre.

4 Incorporez le poulet et laissez chauffer 5 minutes. Servez tel, ou avec les garnitures suggérées.

Boulettes de riz épicées aux cacahuètes

Vous présenterez ces boulettes de riz indonésiennes avec une salade verte et une sauce, comme le *Sambal piquant à la tomate (voir p. 248).*

INGRÉDIENTS

Pour 16 boulettes

1 gousse d'ail écrasée
1 cm de gingembre frais finement haché
1/4 de cuil. à café de curcuma en poudre
1 cuil. à café de sucre
1/2 cuil. à café de sel
1 cuil. à café de sauce au piment
2 cuil. à café de sauce de poisson
  ou de sauce de soja
2 cuil. à soupe de coriandre fraîche ciselée
le jus d'1/2 citron vert
115 g de riz à grains longs cuit
75 g de cacahuètes crues hachées
huile de friture

1 Broyez l'ail, le gingembre et le curcuma dans un mortier ou un mixer. Ajoutez le sucre, le sel, la sauce au piment, la sauce de poisson ou de soja, la coriandre et le jus de citron.

2 Incorporez 75 g de riz cuit et malaxez pour obtenir une consistance lisse et collante. Mélangez intimement la préparation au reste de riz, puis façonnez 16 boulettes avec les mains légèrement humides.

3 Étalez les cacahuètes sur un plat et roulez les boulettes dedans pour les en enrober. Réservez.

4 Dans un wok ou une poêle préchauffés avec l'huile, faites frire les boulettes, 3 par 3, jusqu'à ce qu'elles soient dorées et croustillantes. Posez-les sur du papier absorbant, puis servez.

Les Desserts

Vous surprendrez vos convives avec ces desserts insolites et succulents en provenance de toutes les régions d'Asie. La Salade de fruits exotiques du Vietnâm *est aussi délicieuse et rafraîchissante qu'appétissante. Jeunes et moins jeunes, tous seront séduits par les* Friandises à la patate douce et aux marrons, *spécialité du Japon. La Thaïlande offre une interprétation inattendue d'un dessert international avec sa* Crème de coco à la vapeur, *tandis que l'association de la pâte croustillante et des fruits chauds dans les* Beignets de bananes à l'indonésienne *se révélera tout simplement irrésistible.*

Salade de fruits chinoise

Une salade de fruits originale aux accents asiatiques se compose d'un mélange de fruits exotiques, arrosé d'un sirop acidulé au citron et aux litchis, et saupoudré de graines de sésame.

INGRÉDIENTS

Pour 4 personnes

115 g de sucre en poudre
30 cl d'eau
le zeste finement détaillé et le jus d'1 citron vert
400 g de litchis au sirop en boîte
1 mangue mûre pelée, dénoyautée et coupée en tranches
1 pomme évidée et coupée en tranches
2 bananes coupées en rondelles
1 carambole coupée en tranches (facultatif)
1 cuil. à café de graines de sésame grillées

1 Réunissez dans une casserole le sucre, l'eau et le zeste de citron. Chauffez doucement jusqu'à dissolution du sucre, puis augmentez le feu et faites frémir 7 à 8 minutes. Laissez refroidir hors du feu.

2 Égouttez les litchis et réservez le jus. Versez celui-ci dans le sirop froid, avec le jus de citron. Mélangez tous les fruits dans un saladier et arrosez-les de sirop. Laissez 1 heure au frais. Saupoudrez de graines de sésame juste avant de servir.

CONSEIL

Pour préparer une mangue, coupez le fruit en deux dans la longueur, à 1 cm de part et d'autre du noyau. Dégagez les 2 moitiés avec un couteau pointu. Incisez la chair en croisillons. Prenez une moitié avec les deux mains, recourbez-la au maximum, puis retirez les cubes de chair avec une cuillère. Procédez de même avec l'autre moitié.

Friandises à la patate douce et aux marrons

Les Japonais offrent traditionnellement avec le thé des friandises à base de pâte de soja. Leur goût sucré contraste à merveille avec l'amertume du thé. Ces gourmandises peuvent également être servies en dessert.

INGRÉDIENTS

Pour 18 bouchées

450 g de patates douces épluchées et coupées en morceaux
1 pincée de sel
2 jaunes d'œufs
200 g de sucre
4 cuil. à soupe d'eau
5 cuil. à soupe de farine de riz ou de blé
1 cuil. à café d'eau de rose ou de fleur d'oranger (facultatif)
200 g de marrons au sirop en boîte, égouttés
3 cuil. à soupe de sucre en poudre
2 morceaux d'angélique confite
2 cuil. à café de confiture de prunes ou d'abricots
3 à 4 gouttes de colorant alimentaire rouge

1 Mettez les patates douces dans une casserole, couvrez-les d'eau froide et salez. Portez à ébullition et laissez frémir 20 à 25 minutes, jusqu'à ce qu'elles soient tendres. Égouttez-les, puis remettez-les dans la casserole. Écrasez-les en purée. Réunissez dans un saladier les jaunes d'œufs, le sucre, l'eau, la farine et l'eau de rose ou de fleur d'oranger. Ajoutez la purée de patates douces et remuez à feu doux pendant 3 à 4 minutes. Laissez refroidir sur une plaque.

2 Pour façonner les friandises, posez 2 cuillerées à café de préparation au centre d'un mouchoir en coton humide. Fermez le mouchoir et entortillez-le en forme de noix. Le mouchoir doit être suffisamment humide pour que la préparation ne colle pas.

3 Pour préparer les marrons, essuyez-les soigneusement. Roulez-les dans le sucre en poudre et décorez de morceaux d'angélique. Pour terminer la confection des friandises à la patate douce, teintez la confiture de prunes ou d'abricots avec le colorant rouge, puis décorez chaque bonbon d'une tache de couleur.

CONSEIL

Les marrons enrobés de sucre se conservent 5 jours à température ambiante, dans une boîte fermée. Les friandises à la patate douce se gardent au réfrigérateur, dans un récipient hermétique.

Crêpes fines

Les crêpes fines ne sont pas difficiles à confectionner. Elles exigent seulement un peu de pratique et de patience. Les restaurants les achètent souvent surgelées dans les supermarchés asiatiques. Si vous utilisez des crêpes toutes prêtes, achetées ou fabriquées par vos soins, faites-les réchauffer 5 minutes à la vapeur, ou 1 à 2 minutes au four à micro-ondes à 650 watts.

INGRÉDIENTS

Pour 24 à 30 crêpes

450 g de farine
environ 30 cl d'eau bouillante
1 cuil. à café d'huile végétale

1 Tamisez la farine dans un bol, puis versez très lentement l'eau bouillante, en remuant. Mélangez avec l'huile et pétrissez jusqu'à obtention d'une pâte ferme. Couvrez d'un torchon humide, puis laissez reposer 30 minutes.

2 Farinez un plan de travail. Pétrissez la pâte pendant 5 à 8 minutes, jusqu'à ce qu'elle devienne lisse, puis divisez-la en 3 portions égales. Roulez chaque portion en forme de boudin que vous détaillez en 8 à 10 morceaux, puis façonnez-les en boules. Aplatissez-les avec la paume de la main, avant de les étaler en cercles de 15 cm de diamètre avec un rouleau à pâtisserie.

3 Faites chauffer vivement une poêle non graissée, baissez le feu et mettez les crêpes l'une après l'autre dans la poêle. Retirez lorsque des taches brunes apparaissent sur le dessous. Gardez sous un torchon humide jusqu'à ce que toutes les crêpes soient cuites.

Crêpes à la pâte de haricots rouges

Vous pouvez remplacer la pâte de haricots rouges par de la crème de marrons ou des dattes écrasées.

INGRÉDIENTS

Pour 4 personnes

8 cuil. à soupe de pâte de haricots rouges
8 crêpes fines
2 à 3 cuil. à soupe d'huile végétale
du sucre en poudre, pour le service

1 Étalez environ 1 cuillerée à soupe de pâte de haricots rouges sur chaque crêpe en couvrant les trois quarts de la surface, puis enroulez.

2 Faites chauffer l'huile dans un wok préchauffé ou une poêle, et mettez à dorer les crêpes roulées, en les retournant une fois.

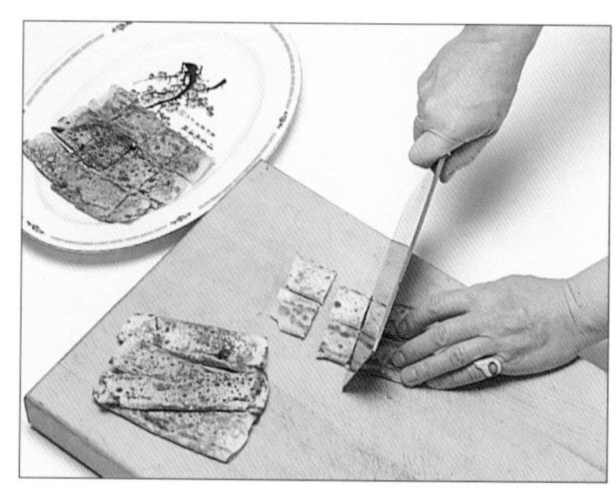

3 Coupez chaque crêpe en 3 ou 4 morceaux et saupoudrez-les de sucre avant de servir.

Gelée de fruits à l'amande

Pour réaliser ce dessert, vous pouvez remplacer l'*agar-agar* par de la gélatine.

INGRÉDIENTS

Pour 4 à 6 personnes

10 g d'*agar-agar* ou 25 g de gélatine
environ 60 cl d'eau
4 cuil. à soupe de sucre en poudre
30 cl de lait
1 cuil. à café d'essence d'amande
de la salade de fruits frais ou en boîte avec le jus, pour le service

1 Diluez l'*agar-agar* à feu doux dans la moitié de l'eau, pendant environ 10 minutes. Si vous utilisez de la gélatine, suivez les instructions figurant sur le paquet.

2 Faites fondre le sucre dans le reste d'eau, à feu moyen, dans une autre casserole. Ajoutez l'essence d'amande, le lait, et remuez délicatement, sans laisser bouillir.

3 Mélangez le lait sucré avec l'*agar-agar* ou la gélatine, dans un saladier. Lorsque la préparation est froide, laissez durcir 2 à 3 heures au réfrigérateur.

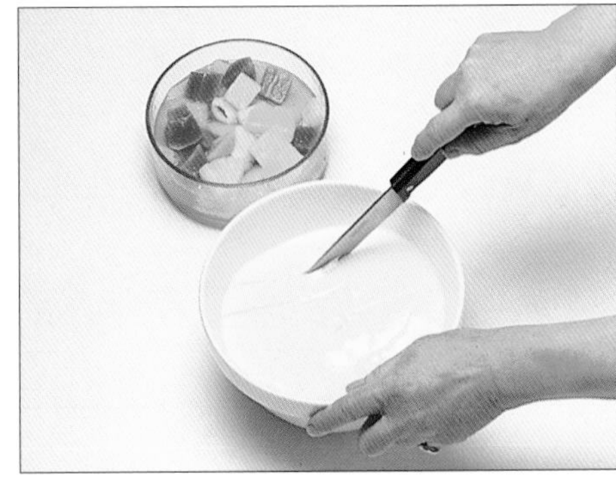

4 Pour servir, détaillez la préparation en petits cubes et mettez-la dans un saladier ou des coupelles. Versez dessus la salade de fruits avec le jus et servez.

Citrouille au coco

Les Thaïlandais sont très friands de fruits cuits en dessert. Vous pouvez accommoder de la même manière des bananes, des melons, des grains de maïs ou des légumes secs comme les haricots mungo et les haricots noirs.

INGRÉDIENTS

Pour 4 à 6 personnes

1 kg de citrouille *kabocha*
75 cl de lait de coco
175 g de sucre en poudre
1 pincée de sel
quelques feuilles de menthe et des graines de citrouille grillées, pour la décoration

1 Lavez l'écorce de la citrouille et retirez-la partiellement. Enlevez les graines.

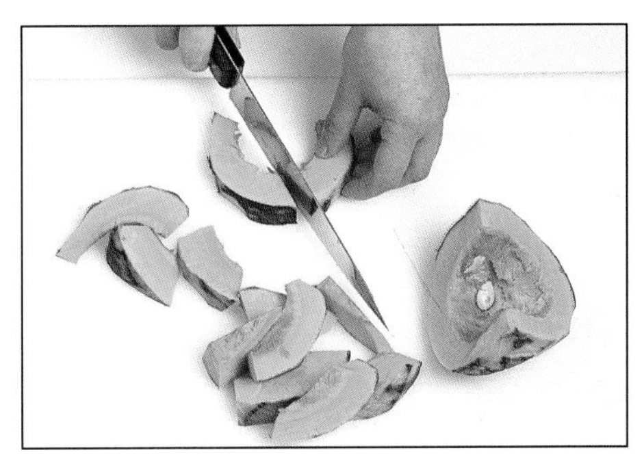

2 Détaillez la chair de citrouille en morceaux d'environ 5 cm de long et 2 cm d'épaisseur.

3 Faites bouillir le lait de coco avec le sucre et le sel dans une casserole.

4 Ajoutez la citrouille et laissez frémir 10 à 15 minutes, jusqu'à ce qu'elle soit tendre. Servez chaud. Décorez chaque portion d'1 feuille de menthe et de quelques graines de citrouille grillées.

CONSEIL

Vous pouvez utiliser n'importe quelle variété de citrouille à texture ferme pour confectionner ce dessert. Celles de la Jamaïque ou de Nouvelle-Zélande peuvent remplacer la citrouille *kabocha*.

Gâteau de fête

Ce gâteau irrésistible est préparé avec du riz parfumé thaïlandais recouvert d'une délicieuse crème acidulée. Vous le décorerez de fruits frais ou écrirez dessus un message en chocolat fondu.

INGRÉDIENTS

Pour 8 à 10 personnes

225 g de riz parfumé thaï
1 l de lait
115 g de sucre en poudre
6 gousses de cardamome écrasées
2 feuilles de laurier
30 cl de crème fraîche
6 œufs, blancs et jaunes séparés

La garniture
30 cl de crème fraîche
300 g de fromage blanc
1 cuil. à café d'essence de vanille
le zeste râpé d'1 citron
3 cuil. à soupe de sucre en poudre
quelques fruits rouges et 1 kiwi ou 1 carambole coupés en tranches, pour la décoration

1 Graissez et chemisez un moule rond et profond de 25 cm de diamètre. Faites bouillir le riz 3 minutes dans de l'eau non salée, puis égouttez-le soigneusement.

2 Remettez le riz dans la casserole avec le lait, 115 g de sucre, la cardamome et le laurier. Portez à ébullition, puis baissez le feu et laissez frémir pendant 20 minutes, en remuant de temps en temps.

3 Laissez refroidir, puis retirez le laurier et les gousses de cardamome. Transvasez le riz au lait dans un grand saladier. Incorporez la crème fraîche, puis les jaunes d'œufs.

4 Battez les blancs d'œufs en neige ferme, puis incorporez-les à la préparation. Versez dans le moule et faites cuire 45 à 50 minutes dans le four préchauffé à 180 °C/thermostat 4, jusqu'à ce que le gâteau soit levé et doré. Le centre doit être légèrement mou – il durcira en refroidissant.

5 Laissez refroidir toute la nuit dans le moule. Le lendemain, démoulez le gâteau sur un grand plat de service.

6 Pour préparer la garniture, fouettez vivement la crème fraîche, puis ajoutez le fromage blanc, l'essence de vanille, le zeste de citron et le sucre. Nappez de crème le dessus et les côtés du gâteau, de manière décorative. Parsemez-le de fruits.

CONSEIL

Pour vous faciliter la tâche, vous pouvez poser les fruits sur le gâteau, après l'avoir démoulé, et servir la crème séparément, en l'allongeant avec un peu de lait.

Crème de coco à la vapeur

Le *srikaya* est un dessert aussi répandu en Asie du Sud-Est que la crème caramel l'est en Europe.

INGRÉDIENTS

Pour 8 personnes

40 cl de lait de coco en boîte
5 cuil. à soupe d'eau
25 g de sucre
3 œufs battus
25 g de nouilles cellophane, ayant trempé 5 minutes dans de l'eau chaude
4 bananes mûres épluchées et coupées en petits morceaux
sel
de la glace à la vanille, pour le service (facultatif)

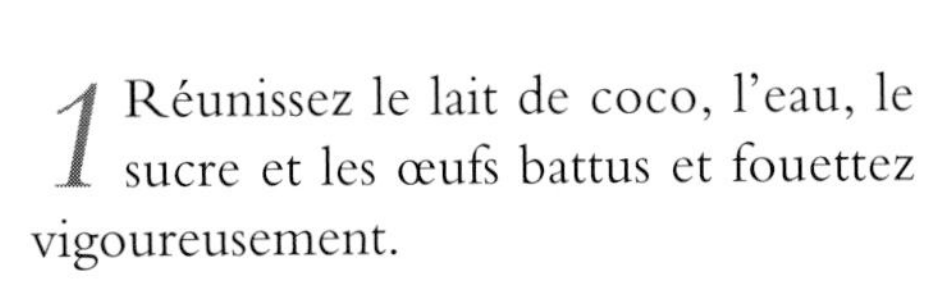

1 Réunissez le lait de coco, l'eau, le sucre et les œufs battus et fouettez vigoureusement.

2 Filtrez dans un moule à soufflé de 1,75 litre de contenance.

3 Égouttez soigneusement les nouilles et coupez-les en petits morceaux avec des ciseaux. Ajoutez-les dans la préparation, ainsi que les morceaux de bananes, puis salez.

4 Couvrez le moule de papier aluminium et faites cuire 1 heure dans un cuiseur à vapeur. Pour vérifier la cuisson, enfoncez un couteau au centre. Servez chaud ou froid, éventuellement avec de la glace à la vanille.

Raviolis aux dattes et aux noix

Ce savoureux dessert est une version sucrée de raviolis frits.

INGRÉDIENTS

Pour 15 raviolis

25 à 30 dattes sèches dénoyautées
50 g de noix
2 cuil. à soupe de sucre roux
1 pincée de cannelle en poudre
30 carrés de pâte à raviolis
1 œuf battu
huile de friture
de la menthe fraîche et du sucre glace, pour la décoration

1 Hachez grossièrement les dattes et les noix. Mettez-les dans un saladier, puis ajoutez le sucre et la cannelle. Mélangez bien.

2 Déposez 1 cuillerée de garniture sur un carré de pâte, humectez les bords d'œuf battu et recouvrez avec un autre carré. Soudez les bords en appuyant légèrement dessus. Procédez de même avec le reste de la pâte et de la garniture.

3 Faites chauffer l'huile à 180 °C dans un wok ou une friteuse. Mettez à frire les raviolis en plusieurs fois jusqu'à ce qu'ils soient dorés. Retirez-les avec une écumoire et posez-les sur du papier absorbant. Servez chaud, décoré de menthe et saupoudré de sucre glace.

Gâteau de riz thaïlandais

Le riz gluant noir se distingue par ses longs grains noirs et son goût de noisette, comparable à celui du riz complet. Ce gâteau de riz cuit au four vous surprendra par sa saveur insolite.

INGRÉDIENTS

Pour 4 à 6 personnes

175 g de riz gluant noir ou blanc
2 cuil. à soupe de sucre roux
50 cl de lait de coco
25 cl d'eau
3 œufs
2 cuil. à soupe de sucre

1 Réunissez dans une casserole le riz gluant, le sucre roux, la moitié du lait de coco et toute l'eau.

2 Portez à ébullition et laissez frémir 15 à 20 minutes, jusqu'à absorption presque totale du liquide, en remuant de temps en temps. Préchauffez le four à 160 °C/thermostat 3.

3 Mettez le riz dans un grand plat à four ou répartissez-le dans des ramequins individuels. Mélangez les œufs, le reste de lait de coco et le sucre dans un saladier.

4 Filtrez et versez la préparation sur le riz.

5 Posez le plat (ou les ramequins) dans un plat plus grand que vous remplissez d'eau bouillante à mi-hauteur.

6 Couvrez le gâteau de papier aluminium et faites-le cuire 35 minutes à 1 heure au four. Servez chaud ou froid.

Mangue au riz gluant

Le parfum délicat, la saveur aigre-douce et la pulpe veloutée de la mangue créent un accord parfait avec le riz au coco. Ce dessert doit être préparé la veille.

INGRÉDIENTS

Pour 4 personnes

115 g de riz gluant blanc
20 cl de lait de coco épais
3 cuil. à soupe de sucre cristallisé
1 pincée de sel
2 mangues mûres
quelques zestes de citron vert, pour la décoration

1 Rincez soigneusement le riz plusieurs fois à l'eau froide, puis laissez-le tremper toute la nuit dans un saladier d'eau fraîche.

2 Égouttez et étalez le riz régulièrement dans un cuiseur garni d'une mousseline. Couvrez et laissez-le cuire 20 minutes à la vapeur.

3 Dans le même temps, réservez 3 cuillerées à soupe du dessus du lait de coco, et portez le reste à ébullition dans une casserole, avec le sucre et le sel, en remuant jusqu'à dissolution du sucre. Transvasez dans un saladier et laissez refroidir un peu.

4 Mettez le riz dans un saladier et recouvrez de la préparation au coco. Remuez, puis laissez reposer 10 à 15 minutes.

5 Pelez les mangues et détaillez la pulpe en tranches. Disposez-les sur le riz, puis arrosez du lait de coco réservé. Décorez de zestes de citron.

Petits pains briochés

Ces délicieux petits pains révèlent l'influence espagnole sur la cuisine des Philippines. Ils clôtureront agréablement un repas ou se serviront avec le thé.

INGRÉDIENTS

Pour 10 petits pains

350 g de farine
1 cuil. à café de sel
1 cuil. à soupe de sucre en poudre
1 cuil. à café de levure sèche de boulanger
15 cl d'eau chaude
3 jaunes d'œufs
50 g de beurre ramolli
75 g de gruyère râpé
2 cuil. à soupe de beurre fondu
50 g de sucre

1 Tamisez la farine, le sel et le sucre en poudre dans le bol d'un mixer. Creusez une fontaine au milieu. Délayez la levure dans l'eau chaude, puis versez dans la fontaine. Ajoutez les jaunes d'œufs et laissez reposer quelques minutes, jusqu'à la formation de bulles à la surface.

2 Mixez le tout 30 à 45 secondes afin d'obtenir une pâte ferme. Incorporez le beurre ramolli et malaxez de nouveau pendant 2 à 3 minutes, jusqu'à obtention d'une pâte lisse. Mettez-la dans un saladier fariné, couvrez et laissez lever dans un endroit chaud jusqu'à ce qu'elle double de volume.

3 Posez la pâte sur une surface farinée et divisez-la en 10 pâtons. Éparpillez le fromage sur le plan de travail. Roulez les pâtons dans le fromage, en façonnant des boudins de 12,5 cm. Enroulez-les en forme d'escargots, puis posez-les sur une plaque graissée de 30 x 20 cm.

4 Couvrez de film alimentaire et laissez 45 minutes dans un endroit chaud, jusqu'à ce que les pains doublent de volume. Faites-les cuire 20 à 25 minutes dans le four préchauffé à 190 °C/ thermostat 5. Humectez-les de beurre fondu, saupoudrez-les de sucre et laissez-les refroidir. Séparez les pains avant de servir.

Salade de fruits exotiques

Vous choisirez les fruits en fonction du marché pour ce dessert vietnamien. Mandarines, carambole, papaye et fruits de la passion seront les bienvenus.

INGRÉDIENTS

Pour 4 à 6 personnes

75 g de sucre
30 cl d'eau
2 cuil. à soupe de sirop de gingembre
2 gousses d'anis étoilé
1 bâton de cannelle de 2,5 cm de long
1 clou de girofle
le jus d'1/2 citron
2 branches de menthe fraîche
1 mangue
2 bananes coupées en rondelles
8 litchis frais ou en boîte
225 g de fraises équeutées et coupées en deux
2 morceaux de gingembre
détaillés en bâtonnets
1 ananas moyen

1 Portez à ébullition dans une casserole le sucre, le sirop de gingembre, l'eau, l'anis étoilé, la cannelle, le clou de girofle, le jus de citron et la menthe, puis laissez frémir 3 minutes. Filtrez dans un saladier et laissez refroidir.

2 Coupez les deux extrémités de la mangue et retirez la peau. Posez le fruit sur une extrémité et détachez la chair en 2 morceaux à partir du noyau. Détaillez en tranches, puis incorporez au sirop précédent. Ajoutez les bananes, les litchis, les fraises et le gingembre.

3 Coupez l'ananas en deux dans la hauteur. Évidez chaque moitié avec un couteau-scie. Détaillez la chair en morceaux et mélangez aux autres fruits.

4 Garnissez les moitiés d'ananas évidées de salade de fruits et servez sur un grand plat. Vous pourrez les remplir de nouveau avec le reste de salade.

Entremets au riz gluant noir

Ce surprenant entremets au riz, dénommé *bubor pulot hitam,* est tout à fait délicieux. Une fois cuit, le riz noir conserve son enveloppe et offre une texture croustillante. Vous le servirez dans des coupelles, avec un peu de crème de coco.

INGRÉDIENTS

Pour 6 personnes

115 g de riz gluant noir
50 cl d'eau
1 cm de gingembre frais pelé et écrasé
50 g de sucre roux
50 g de sucre en poudre
30 cl de lait ou de crème de coco, pour le service

1 Versez le riz dans un tamis et rincez-le soigneusement sous l'eau froide. Égouttez-le, puis mettez-le dans une grande casserole, avec l'eau. Portez à ébullition et remuez pour que le riz n'attache pas au fond. Couvrez et laissez cuire 30 minutes.

2 Ajoutez le gingembre, le sucre roux et le sucre en poudre. Poursuivez la cuisson 15 minutes, en mouillant si besoin avec de l'eau, jusqu'à ce que le riz soit bien cuit. Retirez le gingembre et servez chaud, dans des coupelles, avec un peu de lait ou de crème de coco.

Beignets de bananes

Ces savoureux beignets de bananes appelés *pisang goreng* se cuisent juste avant d'être servis, de manière à être croustillants à l'extérieur, mais tendres et chauds à l'intérieur.

INGRÉDIENTS

Pour 8 personnes

115 g de farine avec 1 sachet de levure incorporée
40 g de farine de riz
1/2 cuil. à café de sel
20 cl d'eau
un peu de zeste de citron finement râpé (facultatif)
8 petites bananes
huile de friture
du sucre et 1 citron vert coupé en quartiers, pour le service

1 Tamisez les 2 farines et le sel dans un saladier. Versez la quantité d'eau nécessaire pour obtenir une pâte lisse et liquide. Mélangez intimement avant d'ajouter éventuellement le zeste de citron.

2 Pelez les bananes et plongez-les deux ou trois fois dans la pâte.

3 Faites chauffer l'huile à 190 °C (un morceau de pain rassis doit y dorer en 30 secondes). Faites frire les bananes jusqu'à ce qu'elles soient dorées et croustillantes. Égouttez-les et servez-les chaudes, saupoudrées de sucre et accompagnées de quartiers de citron.

Crème de coco thaïlandaise

Ce dessert traditionnel, cuit au four ou à la vapeur, s'accompagne souvent de riz gluant et de fruits comme la mangue.

INGRÉDIENTS

Pour 4 à 6 personnes

4 œufs
75 g de sucre roux
25 cl de lait de coco
1 cuil. à café d'extrait de vanille, de rose ou de jasmin
quelques feuilles de menthe et du sucre glace, pour la décoration

1 Préchauffez le four à 150 °C/thermostat 2. Battez les œufs et le sucre dans un saladier. Ajoutez le lait de coco et l'extrait, puis mélangez intimement.

2 Filtrez la préparation avant de la verser dans des ramequins ou un moule à gâteau.

3 Posez les ramequins ou le moule dans un plat à four. Remplissez ce dernier d'eau chaude à mi-hauteur des ramequins ou du moule.

4 Faites cuire 35 à 40 minutes au four, jusqu'à ce que les crèmes soient solides. Vérifiez la cuisson avec un couteau.

5 Laissez refroidir hors du four. Démoulez sur des assiettes et servez avec des tranches de fruits. Décorez de feuilles de menthe et de sucre glace.

Pommes et framboises au sirop de rose

Ce dessert asiatique délicieusement parfumé et rapide à préparer marie les subtiles saveurs de la pomme et de la framboise à l'arôme raffiné d'un thé à la rose.

INGRÉDIENTS

Pour 4 personnes

1 cuil. à café de thé *pouchong* à la rose
1 cuil. à café d'eau de rose (facultatif)
50 g de sucre
1 cuil. à café de jus de citron
5 pommes
175 g de framboises fraîches

1 Chauffez une grande théière. Ajoutez 90 cl d'eau bouillante, le thé à la rose et éventuellement l'eau de rose. Laissez infuser 4 minutes.

2 Réunissez le sucre et le jus de citron dans une casserole en inox. Versez le thé dessus en le filtrant et remuez pour dissoudre le sucre.

3 Pelez et évidez les pommes, puis coupez-les en quartiers.

4 Faites pocher les pommes dans le sirop précédent pendant 5 minutes.

5 Versez les pommes et le sirop sur une plaque métallique, et laissez refroidir à température ambiante.

6 Transférez les pommes au sirop dans un saladier, ajoutez les framboises et mélangez. Répartissez dans des coupelles et servez aussitôt.

Les Sauces et les Sambals

Des sauces accompagnent souvent les pâtés impériaux, la viande, le poisson, les salades et les légumes. Elles adoucissent certains mets épicés de leur saveur rafraîchissante ou de leur texture crémeuse. Plus souvent, elles relèvent les plats de leur note piquante. Les sambals, condiments originaires du sud de l'Inde, se servent désormais dans toute l'Asie du Sud-Est, notamment en Indonésie. Cuits ou non, à base de poulet, de fruits de mer ou de légumes, ils sont consistants et toujours très pimentés, tel le Sambal piquant à la tomate *ou les* Pickles de légumes.

Sauce au piment et à l'ail

Présentés sur la table comme condiments, les sambals accompagnent la viande et le poisson en Indonésie. Très forts, ils doivent être consommés avec modération.

INGRÉDIENTS

Pour 12 cl

1 gousse d'ail écrasée
2 petits piments rouges frais épépinés et finement hachés
2 cuil. à café de sucre
1 cuil. à café de sauce de tamarin
4 cuil. à soupe de sauce de soja
le jus d'1/2 citron vert

1 Pilez l'ail, les piments et le sucre avec un pilon dans un mortier ou hachez-les dans un mixer, pour obtenir une consistance lisse.

2 Ajoutez la sauce de tamarin, la sauce de soja, le jus de citron, puis mélangez intimement.

Sambal piquant à la tomate

Ce sambal très populaire se marie bien avec la viande et la volaille.

INGRÉDIENTS

Pour 12 cl

3 tomates mûres
1/2 cuil. à café de sel
1 cuil. à café de sauce au piment
4 cuil. à soupe de sauce de poisson ou de sauce de soja
1 cuil. à soupe de coriandre fraîche ciselée

1 Mettez les tomates dans un saladier avec de l'eau bouillante et laissez-les 30 secondes pour que la peau se détache. Pelez les tomates, coupez-les en quartiers et épépinez-les avant de les détailler finement.

2 Mélangez les tomates dans un saladier avec le sel, la sauce au piment, la sauce de poisson ou la sauce de soja et la coriandre.

CONSEIL

Si vous aimez les saveurs très fortes, vous pouvez ajouter 1 ou 2 piments rouges frais, épépinés et finement hachés.

Sambal goreng

Ce condiment se prépare traditionnellement avec du foie de veau, des foies de poulet, des haricots ou des œufs durs. Il est présenté ici dans une version occidentalisée.

INGRÉDIENTS

Pour 90 cl

1 cube de *terasi* de 2,5 cm
2 oignons coupés en quatre
2 gousses d'ail écrasées
2,5 cm de *lengkwas* frais pelé et émincé
2 piments rouges frais épépinés et émincés
1/4 de cuil. à café de sel
2 cuil. à soupe d'huile
3 cuil. à soupe de coulis de tomates
60 cl de bouillon ou d'eau
350 g de poulet cuit
50 g de haricots verts cuits
4 cuil. à soupe de jus de tamarin
1 pincée de sucre
3 cuil. à soupe de lait ou de crème de coco

1 Broyez le *terasi,* les oignons et l'ail dans un mixer ou avec un mortier et un pilon, jusqu'à obtention d'une pâte. Ajoutez le *lengkwas,* les piments et le sel. Mixez ou écrasez finement.

2 Faites revenir la pâte dans l'huile chaude 1 à 2 minutes, sans laisser dorer, afin qu'elle libère ses parfums.

3 Versez le coulis de tomates, le bouillon ou l'eau, et laissez frémir 10 minutes. Ajoutez le poulet et les haricots verts cuits, ou l'un des ingrédients ci-dessous. Laissez mijoter 3 à 4 minutes, avant d'incorporer le jus de tamarin, le sucre et le lait ou la crème de coco juste avant de servir.

VARIANTES

Sambal goreng à la tomate : ajoutez 450 g de tomates pelées, épépinées et concassées avant de verser le bouillon.

Sambal goreng à la crevette : ajoutez 350 g de crevettes cuites décortiquées, et 1 poivron vert épépiné et haché.

Sambal goreng aux œufs : ajoutez 3 à 4 œufs durs écalés et hachés, et 2 tomates pelées, épépinées et concassées.

Pickles de légumes

Si vous parvenez à vous procurer du curcuma frais, cet *acar campur* n'en sera que plus coloré et plus appétissant. Sélectionnez les légumes à votre guise, en essayant de créer une harmonie de textures, de couleurs et de saveurs.

INGRÉDIENTS

Pour 2 à 3 bocaux de 300 g

1 piment rouge frais épépiné et émincé
1 oignon coupé en quatre
2 gousses d'ail écrasées
1 cube de *terasi* de 1 cm
8 amandes
2,5 cm de curcuma frais pelé et émincé, ou 1 cuil. à café de curcuma en poudre
3 cuil. à soupe d'huile de tournesol
50 cl de vinaigre blanc
25 cl d'eau
25 à 50 g de sucre en poudre
3 carottes
225 g de haricots verts
1 petit chou-fleur
1 concombre
225 g de chou blanc
115 g de cacahuètes grillées et écrasées
sel

1 Réunissez dans un mixer le piment, l'oignon, l'ail, le *terasi*, les amandes, le curcuma, puis mixez jusqu'à obtention d'une pâte, ou pilez les ingrédients dans un mortier.

2 Faites revenir la préparation dans l'huile chaude. Ajoutez le vinaigre, l'eau, le sucre et le sel. Portez à ébullition et laissez frémir 10 minutes.

3 Taillez les carottes en forme de fleurs. Coupez les haricots en petites sections. Séparez les bouquets du chou-fleur. Pelez le concombre, ôtez les graines et détaillez la chair en petits morceaux. Débitez le chou en fines lanières.

4 Blanchissez chaque légume séparément pendant 1 minute dans une grande casserole d'eau bouillante. Versez-les dans une passoire et rincez-les sous l'eau froide, pour arrêter la cuisson. Égouttez-les soigneusement.

CONSEIL

Ce condiment sera plus savoureux, préparé quelques jours à l'avance.

5 Ajoutez les légumes dans la sauce. Portez à ébullition et laissez frissonner 5 à 10 minutes – les légumes doivent être croquants. Incorporez les cacahuètes, puis laissez refroidir.

6 Versez dans des bocaux munis de couvercles.

Sambal aigre-doux au gingembre

Ce sambal rehausse à merveille le poisson, le poulet, le porc, mais attention, il est très fort.

INGRÉDIENTS

Pour 6 cuillerées à soupe

4 à 5 petits piments rouges frais épépinés et hachés
2 échalotes ou 1 petit oignon hachés
2 gousses d'ail
2 cm de gingembre frais
2 cuil. à soupe de sucre
1/4 de cuil. à café de sel
3 cuil. à soupe de vinaigre de riz ou de vinaigre de vin blanc

1 Pilez les piments et les échalotes ou l'oignon dans un mortier, ou hachez-les dans un mixer.

2 Ajoutez l'ail, le gingembre, le sel, le sucre, et continuez à piler ou à mixer jusqu'à obtention d'une consistance lisse. Versez le vinaigre et mélangez intimement.

CONSEIL

Ce sambal se conserve au réfrigérateur dans un bocal à fermeture hermétique.

Sauce satay

Il existe de nombreuses variantes de cette savoureuse sauce à la cacahuète. Celle-ci, très rapide à préparer, s'accorde parfaitement avec des brochettes de poulet. À l'occasion d'un buffet, vous pourrez piquer des bâtonnets de bois dans des morceaux de poulet que vous disposerez autour d'un bol de sauce chaude.

INGRÉDIENTS

Pour 4 personnes

20 cl de crème de coco
4 cuil. à soupe de beurre de cacahuètes
1 cuil. à café de sauce Worcestershire
quelques gouttes de Tabasco
un peu de noix de coco fraîche, pour la décoration (facultatif)

1 Versez la crème de coco dans une petite casserole et faites-la chauffer 2 minutes à feu doux.

2 Ajoutez le beurre de cacahuètes et mélangez intimement. Continuez à faire chauffer sans laisser bouillir.

3 Assaisonnez de sauce Worcestershire et de Tabasco avant de verser dans un saladier de service.

4 Râpez des copeaux de noix de coco fraîche. Parsemez-en la sauce et servez aussitôt.

Sauce vietnamienne

Vous présenterez cette sauce dans un bol pour accompagner des rouleaux de printemps ou des plats de viande.

INGRÉDIENTS

Pour 15 cl

1 à 2 petits piments rouges frais épépinés et finement hachés
1 gousse d'ail écrasée
1 cuil. à soupe de cacahuètes grillées
4 cuil. à soupe de lait de coco
2 cuil. à soupe de sauce de poisson
le jus d'1 citron vert
2 cuil. à café de sucre
1 cuil. à café de coriandre fraîche ciselée

1 Pilez les piments et l'ail avec un pilon dans un mortier.

2 Ajoutez les cacahuètes et écrasez-les. Incorporez le lait de coco, la sauce de poisson, le jus de citron, le sucre et la coriandre. Mélangez intimement.

Sauce thaïe

Le *nam prik* est la sauce la plus répandue en Thaïlande. Elle doit être consommée avec modération en raison de sa saveur très forte.

INGRÉDIENTS

Pour 12 cl

1 cuil. à soupe d'huile végétale
1 cm de pâte de crevettes ou 1 cuil. à soupe de sauce de poisson
2 gousses d'ail finement émincées
2 cm de gingembre frais finement haché
3 petits piments rouges frais épépinés et hachés
1 cuil. à soupe de racine ou de tige de coriandre finement hachées
4 cuil. à café de sucre
3 cuil. à soupe de sauce de soja foncée
le jus d'1/2 citron vert

1 Chauffez l'huile dans un wok préchauffé. Mettez à revenir la pâte de crevettes ou la sauce de poisson, l'ail, le gingembre, les piments, pendant 1 à 2 minutes, sans laisser dorer.

2 Retirez du feu pour incorporer la coriandre, le sucre, la sauce de soja et le jus de citron.

CONSEIL

Cette sauce se conserve 10 jours dans un bocal hermétique, au réfrigérateur.

Sauce hoi-sin

Cette sauce ne nécessitant aucune cuisson se prépare en quelques minutes. Elle accompagne à merveille les pâtés impériaux ou les beignets de crevettes.

INGRÉDIENTS

Pour 4 personnes

4 ciboules
4 cm de gingembre frais
2 piments rouges frais
2 gousses d'ail
4 cuil. à soupe de sauce hoi-sin
12 cl de coulis de tomates
1 cuil. à café d'huile de sésame (facultatif)

1 Coupez et jetez les pousses vertes des ciboules. Émincez finement le blanc.

2 Pelez et hachez menu le gingembre. Hachez l'ail en petits morceaux.

3 Coupez les piments en deux, ôtez les graines et émincez-les finement.

4 Mélangez la sauce hoi-sin, le coulis de tomates, les ciboules, le gingembre, les piments, l'ail et l'huile de sésame. Laissez reposer 1 heure avant de servir.

Sambal au concombre

À la différence des autres sambals, cette sauce piquante ne contient pas de piment.

INGRÉDIENTS

Pour 15 cl

1 gousse d'ail écrasée
1 cuil. à café de graines de fenouil
2 cuil. à café de sucre
1/2 cuil. à café de sel
2 échalotes ou 1 petit oignon finement émincés
12 cl de vinaigre de riz ou de vinaigre de vin blanc
1/4 de concombre coupé en petits dés

1 Pilez l'ail, les graines de fenouil, le sucre et le sel dans un mortier, ou hachez-les dans un mixer.

2 Incorporez les échalotes ou l'oignon, le vinaigre et le concombre, et laissez reposer au moins 6 heures pour permettre aux parfums de se mélanger.

INDEX

A
agneau
agneau au cinq-épices 111
agneau à la menthe 109
agneau sauté aux ciboules 110
émincé d'agneau aux ciboules 108
nouilles braisées à l'agneau 112
ananas
curry d'ananas aux crevettes
et aux moules 74
nouilles à l'ananas, au gingembre
et au piment 170
riz sauté à l'ananas 222
salade aigre-douce de fruits
et de légumes 176
assiette de fruits de mer au gingembre 66
aubergine
aubergines farcies au poulet
et au sésame 154
salade d'aubergines à l'œuf
et aux crevettes séchées 185

B
bar
bar à la ciboule chinoise 64
poisson au gingembre
et aux noix de cajou 62
beignets
beignets au crabe et au tofu 38
beignets de bananes 242
beignets de crevettes 30
beignets de maïs 52
beignets de poisson, crevettes
et légumes 80
beignets de riz à la noix de coco 220
bœuf
bœuf au sésame 100
bœuf à l'orange et au gingembre 97
bœuf braisé à la sauce de cacahuètes 103
bœuf cantonais à la sauce d'huître 96
bœuf sauté au poivron
à la mode de Pékin 92
bœuf sukiyaki 106
boulettes de viande épicées
à la noix de coco 52
curry de bœuf
à la sauce de cacahuètes 99
émincé de bœuf aux brocolis 93
émincé de bœuf
aux pois mange-tout 102
fondue japonaise au bœuf
et aux légumes 104
fricassée de bœuf
aux navets croustillants 94
nouilles de riz au bœuf
et aux haricots noirs 205
salade de bœuf thaïlandaise 168
satay de bœuf à la sauce
de mangue chaude 107

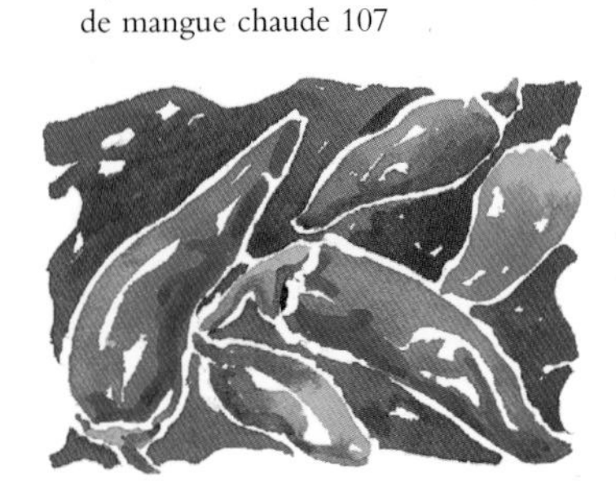

soupe au bœuf
et aux nouilles d'Hanoi 28
soupe de nouilles au bœuf 25
steak grillé à la malaise 98
bouillon
bouillon au crabe et aux nouilles 20
bouillon clair 16
bouillon de coco piquant au poulet
et aux crevettes 207
boulettes
boulettes de porc aux nouilles 206
boulettes de riz épicées
aux cacahuètes 225
boulettes de viande
« têtes de lions » 120
boulettes de viande épicées
à la noix de coco 52
brochettes de poulet laqué 48

C
cacahuètes
bœuf braisé à la sauce de cacahuètes 103
boulettes de riz épicées
aux cacahuètes 225
curry de bœuf
à la sauce de cacahuètes 99
gado gado de fruits et légumes 178
nouilles aux cacahuètes 192
salade de nouilles au sésame
et aux cacahuètes 179
sauce aux cacahuètes 178
sauce satay 251
soupe de légumes au tamarin
et aux cacahuètes 29
cailles laquées au miel
et aux cinq épices 145
calmars
calmars à la sauce de haricots noirs 89
calmars farcis à la vietnamienne 86
calmars frits au cinq-épices 87
marmite de calmars au piment
et aux nouilles 88
canard
canard au sésame et à la mandarine 137
canard croustillant aux aromates 140
canard laqué à la pékinoise 138
canard à la sauce au crabe
et aux noix de cajou 142
chop suey de canard au gingembre 136
nids de canard aux œufs 49
salade de canard à l'avocat
et à la framboise 173
salade de nouilles et de canard
au sésame 172
cassolette de coquillages au basilic 78
champignons
champignons chinois
aux nouilles cellophane 194
champignons farcis à la chinoise 156
pâtés impériaux au crabe
et aux champignons 35
riz aux champignons shiitake 218
chaussons de porc 118
chop suey de canard au gingembre 136
chou
chou chinois et mooli
aux noix de Saint-Jacques 158
chou sauce aigre-douce 50
choux de Bruxelles à la chinoise 161

Chow Mein
Chow Mein de fruits de mer 200
Chow Mein de porc 113
Chow Mein de porc
et de fruits de mer 196
citrouille au coco 233
concombre
concombre aigre-doux 50
sambal au concombre 253
consommé au porc, aux nouilles
et aux crevettes 27
courgettes aux nouilles 152
crabe
beignets au crabe et au tofu 38
bouillon au crabe et aux nouilles 20
canard à la sauce au crabe
et aux noix de cajou 142
crabe aux oignons et au gingembre 72
pâtés impériaux au crabe 32
pâtés impériaux au crabe
et aux champignons 35
crème de coco à la vapeur 236
crème de coco thaïlandaise 244
crêpes
crêpes aux légumes variés 182
crêpes à la pâte de haricots rouges 230
crêpes fines 230
crevettes
beignets de crevettes 30
beignets de poisson, crevettes
et légumes 80
bouillon de coco piquant au poulet
et aux crevettes 207
consommé au porc, aux nouilles
et aux crevettes 26
crevettes au piment 68
crevettes à la chayote et au curcuma 82
crevettes grillées au piment 30
crevettes rouges et blanches
aux légumes verts 84
curry d'ananas aux crevettes
et aux moules 74
curry de crevettes au lait de coco 74
curry de crevettes
aux œufs de cailles 77
nouilles au poulet, aux crevettes
et au jambon 199
nouilles de crevettes
à la sauce de gingembre 203
salade chaude de crevettes
et de papaye au coco 184
salade d'aubergines à l'œuf
et aux crevettes séchées 185
salade de nouilles et de crevettes
aux herbes 165
satay de crevettes 81
soupe aux raviolis de poulet
et de crevettes 17
soupe de porc et de crevettes
aigre-douce 118
soupe piquante aux nouilles
et aux crevettes 204
curry
curry d'ananas aux crevettes
et aux moules 74
curry de bœuf
à la sauce de cacahuètes 99
curry de crevettes au lait de coco 74
curry de crevettes aux œufs de cailles 77

curry de poulet
aux vermicelles de riz 124
curry rouge de tofu
et de haricots verts 159
poulet au curry vert et au coco 129

D
dim sum 36
dinde sautée aux pois mange-tout 144
doedoeh de poisson 82

E
émincé
émincé d'agneau aux ciboules 108
émincé de bœuf aux brocolis 93
émincé de bœuf
aux pois mange-tout 102
émincé de poulet au céleri 132
entremets au riz gluant noir 242
équipement 12

F
filets de poisson épicés à la chinoise 61
fleurs de raviolis à la sauce aigre-douce 41
foies de poulet à la thaïe 134
fondue japonaise au bœuf
et aux légumes 104
framboises
pommes et framboises
au sirop de rose 245
salade de canard à l'avocat
et à la framboise 173
friandises à la patate douce
et aux marrons 229
fricassée
fricassée de bœuf
aux navets croustillants 94
fricassée de porc aux légumes 117
fruits
bœuf à l'orange et au gingembre 97
canard au sésame
et à la mandarine 137
curry d'ananas aux crevettes
et aux moules 74
gado gado de fruits et légumes 178
gâteau de fête 234
gelée de fruits à l'amande 232
nouilles à l'ananas, au gingembre
et au piment 170
pommes et framboises
au sirop de rose 245
raviolis aux dattes et aux noix 237
riz sauté à l'ananas 222
salade aigre-douce de fruits
et de légumes 176
salade de canard à l'avocat
et à la framboise 173
salade de fruits chinoise 228
salade de fruits exotiques 241

salade thaïlandaise de fruits et de légumes 180
fruits de mer
- assiette de fruits de mer au gingembre 66
- beignets au crabe et au tofu 38
- beignets de crevettes 30
- beignets de poisson, crevettes et légumes 80
- bœuf cantonais à la sauce d'huître 96
- bouillon au crabe et aux nouilles 20
- bouillon de coco piquant au poulet et aux crevettes 207
- calmars à la sauce de haricots noirs 89
- calmars farcis à la vietnamienne 86
- calmars frits au cinq-épices 87
- canard à la sauce au crabe et aux noix de cajou 142
- cassolette de coquillages au basilic 78
- chou chinois et mooli aux noix de Saint-Jacques 158
- Chow Mein de fruits de mer 200
- Chow Mein de porc et de fruits de mer 196
- consommé au porc, aux nouilles et aux crevettes 27
- crabe aux oignons et au gingembre 72
- crevettes au piment 68
- crevettes à la chayote et au curcuma 82
- crevettes grillées au piment 30
- crevettes rouges et blanches aux légumes verts 84
- curry d'ananas aux crevettes et aux moules 74
- curry de crevettes au lait de coco 74
- curry de crevettes aux œufs de cailles 77
- homard aux haricots noirs 76
- marmite de calmars au piment et aux nouilles 88
- moules aux herbes thaïes 73
- moules à la citronnelle et au basilic 71
- noix de Saint-Jacques au gingembre 68
- noix de Saint-Jacques épicées 67
- nouilles au poulet, aux crevettes et au jambon 199
- nouilles de crevettes à la sauce de gingembre 203
- pâtés impériaux au crabe 32
- pâtés impériaux au crabe et aux champignons 35
- raviolis de fruits de mer à la sauce à la coriandre 40
- salade chaude de crevettes et de papaye au coco 184
- salade d'aubergines à l'œuf et aux crevettes séchées 185
- salade de nouilles et de crevettes aux herbes 165
- satay de crevettes 81
- soupe aux raviolis de poulet et de crevettes 17
- soupe de porc et de crevettes aigre-douce 118
- soupe piquante aux nouilles et aux crevettes 204

G

gado gado de fruits et légumes 178
gâteau
- gâteau de fête 234
- gâteau de riz au poulet 224
- gâteaux de riz à la sauce épicée 43
- gâteau de riz thaïlandais 238
gelée de fruits à l'amande 232
gingembre
- assiette de fruits de mer au gingembre 66
- bœuf à l'orange et au gingembre 97
- chop suey de canard au gingembre 136
- crabe aux oignons et au gingembre 72
- noix de Saint-Jacques au gingembre 68
- nouilles à l'ananas, au gingembre et au piment 170
- nouilles de crevettes à la sauce de gingembre 203
- poisson au gingembre et aux ciboules 56
- poisson au gingembre et aux noix de cajou 62
- poisson au sésame et au gingembre 59
- poulet au gingembre et aux nouilles 125
- sambal aigre-doux au gingembre 251

H-I

homard aux haricots noirs 76
ingrédients 8-11

L

légumes
- aubergines farcies au poulet et au sésame 154
- beignets de poisson, crevettes et légumes 80
- bœuf sauté au poivron à la mode de Pékin 92
- calmars à la sauce de haricots noirs 89
- chou chinois et mooli aux noix de Saint-Jacques 158
- choux de Bruxelles à la chinoise 161
- chou sauce aigre-douce 50
- concombre aigre-doux 50
- courgettes aux nouilles 152
- crêpes aux légumes variés 182
- crêpes à la pâte de haricots rouges 230
- crevettes à la chayote et au curcuma 82
- crevettes rouges et blanches aux légumes verts 84
- curry rouge de tofu et de haricots verts 159
- dinde sautée aux pois mange-tout 144
- émincé de bœuf aux brocolis 93
- émincé de bœuf aux pois mange-tout 102
- émincé de poulet au céleri 132
- fondue japonaise au bœuf et aux légumes 104
- friandises à la patate douce et aux marrons 229
- fricassée de bœuf aux navets croustillants 94
- fricassée de porc aux légumes 117
- gado gado de fruits et légumes 178
- homard aux haricots noirs 76
- légumes sautés 157
- légumes sautés aux pâtes 150
- légumes sautés à la chinoise 151
- légumes verts à la menthe et à la noix de coco 183
- mooli, betterave et carotte sautés 148
- nouilles au sésame dans des feuilles de laitue 189
- nouilles orientales aux légumes 188
- pak choi au citron vert 149
- pickles de légumes 250
- poisson aux cinq légumes 58
- pommes de terre à l'indonésienne 152
- pommes de terre chinoises aux haricots et au piment 155
- porc sauté aux légumes 120
- porc sauté aux légumes 121
- poulet aux légumes chinois 132
- rouleaux de salade aux vermicelles de riz 177
- salade aigre-douce de fruits et de légumes 176
- salade d'aubergines à l'œuf et aux crevettes séchées 185
- salade de canard à l'avocat et à la framboise 173
- salade thaïlandaise de fruits et de légumes 180
- sambal au concombre 253
- soupe chinoise au tofu et à la laitue 19
- soupe de légumes au tamarin et aux cacahuètes 29
- tempura de légumes 44
lotte aux vermicelles de riz 57

M

mangue au riz gluant 238
maquereau grillé au sel 65
marmite
- marmite de calmars au piment et aux nouilles 88
- marmite de nouilles *udon* 196
mooli, betterave et carotte sautés 148
moules
- curry d'ananas aux crevettes et aux moules 74
- moules aux herbes thaïes 73
- moules à la citronnelle et au basilic 71

N

nids de canard aux œufs 49
noix de coco
- beignets de riz à la noix de coco 220
- bouillon de coco piquant au poulet et aux crevettes 207
- boulettes de viande épicées à la noix de coco 52
- citrouille au coco 233
- crème de coco à la vapeur 236
- crème de coco thaïlandaise 244
- curry de crevettes au lait de coco 74
- légumes verts à la menthe et à la noix de coco 183
- poulet au curry vert et au coco 129
- poulet au lait de coco 130
- riz thaï au lait de coco 222
- salade chaude de crevettes et de papaye au coco 184
- sauce satay 251
noix de Saint-Jacques
- chou chinois et mooli aux noix de Saint-Jacques 158
- noix de Saint-Jacques au gingembre 68
- noix de Saint-Jacques épicées 67

- sandwichs croustillants aux noix de Saint-Jacques 42
nouilles
- bouillon au crabe et aux nouilles 20
- bouillon de coco piquant au poulet et aux crevettes 207
- boulettes de porc aux nouilles 206
- champignons chinois aux nouilles cellophane 194
- Chow Mein de fruits de mer 200
- Chow Mein de porc et de fruits de mer 196
- consommé au porc, aux nouilles et aux crevettes 27
- courgettes aux nouilles 152
- curry de poulet aux vermicelles de riz 124
- légumes sautés aux pâtes 150
- lotte aux vermicelles de riz 57
- marmite de calmars au piment et aux nouilles 88
- marmite de nouilles *udon* 196
- nouilles aux cacahuètes 192
- nouilles au poulet, aux crevettes et au jambon 199
- nouilles au sésame dans des feuilles de laitue 189
- nouilles au sésame et aux ciboules 174
- nouilles à l'ananas, au gingembre et au piment 170
- nouilles braisées à l'agneau 112
- nouilles cellophane au porc 198
- nouilles de crevettes à la sauce de gingembre 203
- nouilles de riz au bœuf et aux haricots noirs 205
- nouilles de sarrasin au saumon fumé 170
- nouilles de Singapour 193
- nouilles épicées à la sichuanaise 174
- nouilles frites 190
- nouilles frites aux œufs 190
- nouilles orientales aux légumes 188
- nouilles sautées à la mode de Singapour 202
- nouilles thaïes aux ciboules 195
- poulet au gingembre et aux nouilles 125
- rouleaux de salade aux vermicelles de riz 177
- salade de nouilles au sésame et aux cacahuètes 179
- salade de nouilles et de canard au sésame 172
- salade de nouilles et de crevettes aux herbes 165
- soupe au bœuf et aux nouilles d'Hanoi 28
- soupe aux nouilles 208
- soupe de nouilles au bœuf 25
- soupe de nouilles au porc et aux pickles 24
- soupe de nouilles au rouget et au tamarin 24

soupe piquante aux nouilles
et aux crevettes 204

O
œufs
curry de crevettes aux œufs de cailles 77
nids de canard aux œufs 49
nouilles frites aux œufs 190
œufs Foo Yung 215
riz aux œufs 212
salade d'aubergines à l'œuf
et aux crevettes séchées 185

P
pak choi au citron vert 149
pâte de Maïzena 8
pâtés impériaux
pâtés impériaux au crabe 32
pâtés impériaux au crabe
et aux champignons 35
pâtés impériaux à la sauce pimentée 31
petits pâtés impériaux 34
petits pains briochés 240
petits pâtés impériaux 34
pickles de légumes 250
piments
canard à la sauce au crabe
et aux noix de cajou 142
crevettes au piment 68
crevettes grillées au piment 30
marmite de calmars au piment
et aux nouilles 88
nouilles à l'ananas, au gingembre
et au piment 170
pâtés impériaux à la sauce pimentée 31
pommes de terre chinoises
aux haricots et au piment 155
sauce au piment et à l'ail 248
sauce thaïe 252
sauce vietnamienne 252
poisson
bar à la ciboule chinoise 64
beignets de poisson, crevettes
et légumes 80
doedoeh de poisson 82
filets de poisson épicés à la chinoise 61
lotte aux vermicelles de riz 57
maquereau grillé au sel 65
nouilles de sarrasin au saumon fumé 170
poisson aux cinq légumes 58
poisson au gingembre et aux ciboules 56
poisson au gingembre
et aux noix de cajou 62
poisson au sésame et au gingembre 59
poisson à la sauce aigre-douce 63
poisson chinois à la vapeur 60
saumon teriyaki 70
soupe de nouilles au rouget
et au tamarin 24
poivrons
bœuf sauté au poivron
à la mode de Pékin 92
calmars à la sauce de haricots noirs 89
pommes et framboises
au sirop de rose 245
pommes de terre
pommes de terre à l'indonésienne 152
pommes de terre chinoises
aux haricots et au piment 155
porc
boulettes de porc aux nouilles 206
boulettes de viande
«têtes de lions» 120
chaussons de porc 118
Chow Mein de porc 113
Chow Mein de porc
et de fruits de mer 196
consommé au porc, aux nouilles
et aux crevettes 27
fricassée de porc aux légumes 117
nouilles au poulet, aux crevettes
et au jambon 199
nouilles cellophane au porc 198
pâtés impériaux au crabe
et aux champignons 35
porc à la sauce aigre-douce 114
porc chinois aigre-doux 116
porc sauté aux légumes 120
raviolis au porc
et aux châtaignes d'eau 39
soupe de nouilles au porc
et aux pickles 24
soupe de porc et de crevettes
aigre-douce 118
travers de porc épicés 46
potage factice aux ailerons de requin 22
poulet
aubergines farcies au poulet
et au sésame 154
bouillon de coco piquant au poulet
et aux crevettes 207
brochettes de poulet laqué 48
curry de poulet
aux vermicelles de riz 124
émincé de poulet au céleri 132
foies de poulet à la thaïe 134
gâteau de riz au poulet 224
nouilles au poulet, aux crevettes
et au jambon 199
poulet au curry vert et au coco 129
poulet au gingembre et aux nouilles 125
poulet au lait de coco 130
poulet aux légumes chinois 132
poulet épicé en cocotte 128
poulet grillé 134
poulet sauté aux épices 126
poulet teriyaki 131
salade de poulet chaude 166
salade de poulet chinoise 164
salade piquante au poulet 169
soupe aux raviolis de poulet
et de crevettes 17
soupe de poulet thaïlandaise 18

R
raviolis
fleurs de raviolis
à la sauce aigre-douce 41
raviolis aux dattes et aux noix 237
raviolis au porc
et aux châtaignes d'eau 39
raviolis de fruits de mer
à la sauce à la coriandre 40
soupe aux raviolis de poulet
et de crevettes 17
riz
beignets de riz à la noix de coco 220
boulettes de riz épicées
aux cacahuètes 225
entremets au riz gluant noir 242
gâteau de fête 234
gâteau de riz au poulet 224
gâteaux de riz à la sauce épicée 43
gâteau de riz thaïlandais 238
mangue au riz gluant 238
œufs Foo Yung 215
riz aux champignons shiitake 218
riz aux œufs 212
riz à l'asiatique 217
riz nature 212
riz sauté à l'ananas 222
riz sauté à la chinoise 214
riz sauté à la mode de Malacca 216
riz thaï aux germes de soja 221
riz thaï au lait de coco 222
sushi japonais 219
rouget
poisson au sésame et au gingembre 59
soupe de nouilles au rouget
et au tamarin 24
rouleaux de salade
aux vermicelles de riz 177

S
salades
nouilles au sésame et aux ciboules 174
nouilles à l'ananas, au gingembre
et au piment 170
nouilles de sarrasin
au saumon fumé 170
nouilles épicées à la sichuanaise 174
rouleaux de salade
aux vermicelles de riz 177
salade aigre-douce de fruits
et de légumes 176
salade aux pousses de bambou 181
salade chaude de crevettes
et de papaye au coco 184
salade d'aubergines à l'œuf
et aux crevettes séchées 185
salade de bœuf thaïlandaise 168
salade de canard à l'avocat
et à la framboise 173
salade de fruits chinoise 228
salade de fruits exotiques 241
salade de nouilles au sésame
et aux cacahuètes 179
salade de nouilles et de canard
au sésame 172
salade de nouilles et de crevettes
aux herbes 165
salade de poulet chaude 166
salade de poulet chinoise 164
salade piquante au poulet 169
salade thaïlandaise de fruits
et de légumes 180
sambal
sambal aigre-doux au gingembre 251
sambal au concombre 253
sambal goreng 249
sambal piquant à la tomate 248
sandwichs croustillants
aux noix de Saint-Jacques 42
satay
satay de bœuf à la sauce
de mangue chaude 107
satay de crevettes 81
sauce
sauce aux cacahuètes 178
sauce au piment et à l'ail 248
sauce hoi-sin 253
sauce satay 251
sauce thaïe 252
sauce vietnamienne 252
saumon
nouilles de sarrasin au saumon fumé 170
saumon teriyaki 70
sésame
aubergines farcies au poulet
et au sésame 154
bœuf au sésame 100
canard au sésame et à la mandarine 137
nouilles au sésame
dans des feuilles de laitue 189
nouilles au sésame et aux ciboules 174
poisson au sésame et au gingembre 59
salade de nouilles au sésame
et aux cacahuètes 179
salade de nouilles et de canard
au sésame 172
soupe
bouillon au crabe et aux nouilles 20
bouillon de coco piquant aux nouilles,
au poulet et aux crevettes 207
consommé au porc, aux nouilles
et aux crevettes 27
potage factice aux ailerons de requin 22
soupe au bœuf
et aux nouilles d'Hanoi 28
soupe au miso 23
soupe aux nouilles 208
soupe aux raviolis de poulet
et de crevettes 17
soupe chinoise au tofu et à la laitue 19
soupe de légumes au tamarin
et aux cacahuètes 29
soupe de nouilles au bœuf 25
soupe de nouilles au porc
et aux pickles 24
soupe de nouilles au rouget
et au tamarin 24
soupe de porc et de crevettes
aigre-douce 118
soupe de poulet thaïlandaise 18
soupe piquante aux nouilles
et aux crevettes 204
steak grillé à la malaise 98
sushi japonais 219

T
techniques de cuisson 13
tempura de légumes 44
tofu
beignets au crabe et au tofu 38
curry rouge de tofu
et de haricots verts 159
soupe chinoise au tofu et à la laitue 19
tofu aux épices 160
travers de porc épicés 46